NUCB GRADUATE SCHOOL OF MANAGEMENT
BUSINESS
SCHOOL

ケースメソッドMBA
実況中継|02

リーダーシップ

Organizational
Behavior & Leadership

名古屋商科大学
ビジネススクール教授
髙木 晴夫

著者まえがき

「リーダーとして仕事をしたい」「どのようにリーダーシップを発揮すればよいか、知りたい」。このような読者の希望に応えられるように、本書を書きました。本書は、チームのリーダーとなる人々、組織の長となる人々、会社の社長となる人々に向けています。

多くの人々にとって、リーダーシップを学びたいと希望しても、なかなかビジネススクールのMBA教室に参加するのは難しい。時間の問題もある、予算の問題もある、もちろん地理的問題も大きい。私は、ぜひMBAの教室に来て欲しいと願っても、それがかなう人々の数は実は多くない、というのを知っています。

この本の狙いは、リーダーシップを学びたいという希望を持っている多くの人々に、NUCBビジネススクールの私の教室の授業を実況中継する本にして届けることです。教室の授業を本にすることで、どこまで完全に伝えられるかは疑問が残るとしても、できる限り多くの人々に伝える手段の1つとして価値があると考えました。もちろん、本書を読んで勉強し、もっと学びたいと願ってMBA教室に来られる方がいれば、私の望外のこととなります。

リーダーシップは人が人に向けて行う行動ですから、そこにはきちんとした理論があります。人と組織に関するするたくさんの行動科学研究がそれを支えています。一方で、リーダーシップは単なる理論ではなく、実践を伴います。実践されないリーダーシップ論は紙に書かれたものに過ぎません。上に書いた疑問とはこのことです。理論と実践が表裏一体で一つのもの、というのがリーダーシップの最大の特徴です。本書はこの表裏一体に向けて、本という限られた方法で、限りなく近づく努力をしました。

理論は、教室で講義をすることで教えることができます。そして実践は、教室の受講生一人ひとりが、本気で経営者としての自らの想いや理念を持たなければならない白熱した討議を展開することで学びの場としました。本書はこの二つを収録して一つの本にしています。

数行の例え話を書いて「まえがき」を終えることにします。
ある世界的なバイオリニストが、伸び盛りの若い演奏家にレッスンをした際の会話を聞いたことがあります。レッスンの曲を若い演奏家が終えた時に、先生は次のように言いました。
「君は演奏の高い技術を持っている。素晴らしいスキルで楽譜を再現できた。でも、君がどんな音楽を作りたいのか、その想いが伝わってこない」

リーダーシップも、本質的なところでこれと同じです。演奏スキルと演奏家その人の想いが表裏一体であると同様に、リーダーシップの理論とリーダー本人の経営者としての想いが表裏一体なのです。この二つを一冊の本でかなえるのはとても難しいのは分かっています。それでも、実現に向けて動くことに表裏一体の価値があるという想いで本書を書きました。

2020年1月
高木晴夫

CONTENTS

第3章

理論編

DISCUSSION

第2講

二世経営者吉田英樹の苦闘

CASE

DISCUSSION

第3講

再建プロデューサー 村井勉の手法

CASE

1

ケースメソッド教育とは

竹内伸一
名古屋商科大学ビジネススクール教授
日本ケースセンター 所長

ケースメソッド教育とは

「ケースメソッド（Case Method of Instruction）」を教える側から捉え、そこにもっとも簡単な定義を与えると、「事例（ケース）教材をもとに、学生に議論させることで学ばせる教授法」となる。しかし、これだけでは多くの読者は、いまひとつピンとこないだろう。

そこで、この教授法が用いられる場面をひとまずビジネススクールに絞って考えることにして、次のような説明を加えてみるとどうだろうか。[i]

1｜ケースには、現実の企業等、そしてそこに従事するキーパーソン等を主人公とした経営上の出来事が客観的に記述されている。また、そこには、ケース作成者による問題への分析や考察は、一切書かないことになっている。ケースが提示している問題の分析や解決に向けたアクションの構想は、すべてケースの読み手である学生の仕事であるべきなので、読み手が担うべき大切な仕事はしっかりと残されたかたちで、ケースは書かれている。

2｜教師はケースに記述された内容そのものを教えるのではなく、ケースに関する教師自身の分析や考察がどのようなものであるかを教えるのでもない。教師の役割はあくまでも、参加者に、その問題がどこからなぜ生じ、いまどのような状況にあり、これからどうなっていくかを理解させたうえで、どう対処すべきかの「議論」をさせることである。
もし教師が、ケースの内容や、「このケースはこう考えるべきだ」という自説を朗々とレクチャーしていたとしたら、教材にケースを使っていたとしても、ケースメソッド授業としては「不十分」だと言わざるを得ない。

3｜教師は、学生間の議論を司り、議論を通して教師が学ばせたい事柄（教育目的と言ったり、訓練主題と言ったり、ラーニングゴールと言ったりする）を学ばせるために、学生による自発的で主体的な討論を妨げないように留意しつつも、議論の誘導を意図的に行っている。

教師は、議論がただ単に「盛り上がればよい」などとはひとつも思っていない。学生が本当に学んだかどうか、深く学んだかどうか、さらにいえば、議論を通して、一人一人の学生がこれまでに確信してきた事柄が少しでも「揺さぶられた」かどうかに関心がある。よって、教師は学生に対してさまざまな「揺さぶり」をかけてくる。

4｜一般的なビジネススクールでは、学生の成績評価の一定割合が、「クラス貢献点」と呼ばれる、発言の量と質に由来する点数によって構成される。よって、学生にとっては、クラスで「よい発言を数多くする」ことが、自分がよい成績を取るための重要な戦術となる。名商大ビジネススクールのどの授業においても、学生が授業時間中に教師に強い視線を向け、「いま私を指名して」という心の声を強く発しながら、粘り強く挙手し続けるのはそのためである。

このくらいの説明が加わると、ビジネススクールにおけるケースメソッド授業が少しはリアルになってきたのではないだろうか。ここまで読んで、「そういう授業に自分も参加してみたい」という気持ちが少しでも生じてきたならば、この本は最後まで一気に読めるだろう。

教育学的に見たときのケースメソッド

前節でしてみたように「ケースメソッド」を文章で説明することはどうにかできるのだが、その実現型あるいは実践型は実に多様であり、「標準的

i　竹内伸一（髙木晴夫監修）（2010）『ケースメソッド教授法入門 －理論・技法・演習・ココロ－』慶應義塾大学出版会。

な授業」というものはあるようでない。ビジネススクール型のケースメソッドの歴史は100年ほどであるが、ケースメソッドに関しては、この100年の間に標準化が進んだのではなく、むしろ慎まれてきた感さえある。本節ではこのことについて述べながら、教育のアプローチとしてのケースメソッド、そしてケースメソッドは単なる教育の手段や方法か、あるいはそれ以上のものか、という話題にも広げていきたい。

本書の目的は名商大ビジネススクールの授業紹介であるから、本書の学問上の文脈は経営学であるとしても、本章を担当している筆者は教育学の人間でもあるので、ここからしばらくはケースメソッドを教育学的に見てみようという趣旨である。

HBS（Harvard Business School）のガービン教授（David A. Garvin）によれば、この教授法の原初型は、1870年ごろから、HLS（Harvard Law School）のラングデル校長（Christopher C. Langdel）によって米国ではじまった。[ii]当初のものは、「case（裁判の判例）を用いて行われた討論授業」における教授法であるが、今日、筆者らが日常的に行っているケースメソッド教育の原点は、1920年代から同じハーバード大学のビジネススクールであるHBSではじまった、「case（経営上の問題直面場面を物語風に記述した事例教材）を用いた討論授業」である。当時の教授会記録によれば、この教授法をはじめは“Case System”と呼んでおり、のちに“Case Method”と呼ぶようになったようだ。

高等教育史を振り返ると、ケースメソッド教育は、新興の大学よりも、どちらかといえば伝統的な大学で丁寧に育まれてきたといえるだろう。学問の自由を重視する教育研究組織に奉職する大学教授たちが、教授の数だけ個別のティーチングスタイルを築き、ケースメソッド授業を多様化させ、柔軟性のある教育活動としても育んできたのである。

しかし、そこには多様性と柔軟性だけがあったのではなく、それらを束ねようとする強い求心力もあった。それが“participant centered”という教育アプローチである。よく似た意味の語句に “student centered”（ちなみにこの反意語はteacher centered）があるが、これだと教室の主役が教師ではなく学生であることの示唆に留まり、学生を授業の主役にするための教師による数々の仕立てや仕掛けが含意されない。

ケースメソッドが “participant centered” であり続けたことによって、ケースメソッドは「教育方法（teaching method）」という意味を超えて、「教授法（pedagogy）」という意味の次元に発展した。このことは、ケースメソッドで教える者にとっても学ぶ者にとっても、とても重要なはずである。“pedagogy” は「教育学」という意味にまで膨らみ得る語なので、ケースメソッドはもはや教育の「手法のひとつ」なのではなく、教育の「あり方」や「到達点」と考えるべきだろう。

名商大ビジネススクールの教員会議でも、本学にとってのケースメソッドはもはや「教員個人が選択する教育の一手法」ではなく、少なくとも “participant centered approach” あるいはアクティブ・ラーニングを可能にするための「ビジネススクール教育の方法論」であり、でき得れば名商大ビジネススクールという「組織の中核的資産」であるべきだと議論されている。

ケースメソッドで「本当に」学べるのか

ケースメソッドの代名詞のようにいわれるビジネススクールにおいても、ケースメソッド教育実践校は実際には少数派である。また、「当校ではケースメソッドを採用しています」と言えたとしても、「それが本当にケースメソッド授業といえるのか」という疑問を拭うのはそれほど簡単でない。

ii Garvin, David A. (2003), “Making The Case”, Harvard Magazine, Sept-Oct 2003, Vol.106, No.1, pp.55-65.

ケースメソッド教育を組織的に実践するには、相応の苦労と代償を伴うからである。大半のビジネススクールにおけるケースメソッド教育の現実的実践像は、本章の冒頭節で列挙した4点のうちの「どれかが欠けているもの」になりがちだ。

筆者はこのことを、ことさら批判しているわけではない。これは教育の「性（さが）」であり、「宿命」なのである。HBSのデューイング教授（Arthur S. Dewing）が言うように、教育を伝授型と訓練型に二分する[iii]ならば、教育は自ずと伝授型に向かおうとする力学の中で営まれている。そこにはさまざまな合理性があり、背景もあり、教育機関という組織と、そこでの職務に従事する人間の選好もそこに反映する。

教育界でのマイノリティであるケースメソッド教育は、ピュアに実践されていればいるほど社会から稀少視され熱いエールも受けるが、マジョリティ側からの批判も受けることになる。

ケースメソッドが批判されるときの理由づけには、「効率的に知識習得できず、学修者の知識量が不足する」「教育効果が量的に測定できない」「授業品質のばらつきが大きく教育の質保証が難しい」「学生が討論に耐える基礎学力を有していない」「討論させるにはクラスサイズが大きすぎる」「ケース作成をはじめとする授業準備の時間が取れない」などがある。

ここではよく述べられる理由の数々を、教育方法上の課題から教師がもつ教育資源上の課題に向かうよう並べてみたのだが、マジョリティたる伝統的な伝授型教育を所与としたときには、マイノリティたる訓練型教育を批判する理由はいくらでも出てくる。

これに対するケースメソッド陣営からの反論には、「ケースメソッドは思考力、そして意思決定力を育む」などがある、この弁を信じようと思えば信じることもできるが、「説明説得の決め手には欠ける」と言われても、それほど強くは反論できない。あえて自虐的に言えば、「弱々しい反論」と受け取られてしまうこともある。

「ジョージ・W・ブッシュも、マイケル・ブルムバーグも、三木谷浩史も、新浪剛史も、皆ケースメソッドで学んで活躍している」と言われて納得する人もいれば、それでは客観的なエビデンスを伴った説明にはなっていないと、疑問視する姿勢を崩さない人もいるのである。

しかし、エビデンスこそうまくつくれていないが、専門家集団たる教授陣による膨大な経験の裏づけがあり、修了生の確かな活躍があり、実業界からの信頼もあるからこそ、ケースメソッドは社会から支持されてきた。これは真実であろう。そして、本学に関していえば、その教育のプロセスと品質はAMBAとAACSBという二つの国際認証を得る水準にあり、三つめの国際認証であるEQUISへのチャレンジ準備も進めている。

この種の教育財（教授法を財と捉えることには違和感もあろうが）を深く理解するには、エビデンスを頼りに「他からの説明説得を得る」のではなく、歴史や思想や機構を手がかりに「自ら信頼を寄せていく」ことも必要であろう。しかし、そのような姿勢を必ずしも多くの人が持ち合わせているわけではないために、教育界全体としてはケースメソッドへのある種の不信感を拭えていないのである。

筆者は教授法を山になぞらえて考えることがある。

山の魅力を考えるとき、少なからざる登山愛好者が山頂からの眺望をその山の魅力の中心に置くのではないか。麓（ふもと）付近や中腹からの景色、あるいは登りやすさを理由に、ある山を愛することは、多くはなかろう。

教授法にも同じようなことが言える気がしている。ケースメソッドという山は、山麓や中腹ではさまざまな問題が生じやすいが、山頂に近づけばその眺望は格別であり、手法として捉えていたときの諸問題がもはや問題でなくなっている。ケースメソッドという山の山頂から経営人材育成を展望したとき、「この教授法はやはり信頼に足る」と心からそう思える。

一方、ケースメソッドを批判する人の多くは、山の麓や中腹にいて批判

iii Dewing, Arthur S.(1954), "An Introduction to Use Cases", in McNair, Malcolm P.(ed.), The Case Method at the Harvard Business School: Papers by Present and past Members of the Faculty and Staff, pp.1-5, McGraw-Hill.

している。筆者らは山頂付近の眺望を知ってしまったので、そのような批判ももうそれほど気にはならないのである。

ケースメソッド教育の担い手としての責任

名商大ビジネススクールは1990年の開設で、じつはそれほど新しいビジネススクールではない。また、近年の少なからざる夜間および休日開講のビジネススクールが文科省における大学院設置区分上の「専門職大学院」であるのに対して、本学が伝統的な「学術大学院の修士課程」であることは意外と知られていない。

世の中には「専門職大学イコール実践志向」で「学術大学院イコール研究志向」という理解があるようだが、実際にはそんなに単純な話ではない。

このことをケースメソッドに紐づけると、次のようにいえる。

ケースメソッド授業では、毎回n=1の単一事例をもとに議論し、他ならぬ当該の事例が到達すべきゴールのありようを、「ケースバイケース」という言葉に逃げずに、深く探究しようとする。

この知的活動には、ただひとつの事例において問題が解決されるだけで、普遍解を得ようともしない弱腰感も、逆に、限定された事例が不当に一般化される行き過ぎ感も共存し、いずれにしても科学的探究とは言い難い。ここでは、こうした弱腰感と行き過ぎ感の両方を視野に入れ、最高学府たる大学の名に恥じないよう、経営の実践を「科学」の次元で扱うことが求められる。

そんな新しい科学のあり方を探究していた吉田民人は、従来の科学のようにすでに生じている多事象を客観的かつ包括的に説明するのではなく、これから生じさせたい一事象を精緻に創造していこうとする営為に、「設

計科学」という概念を与えている。[iv]

ビジネススクールの授業の中でこうした科学概念に準じた学修を進行させていこうとすると、経営の経験的知見を元手にしているだけではおそらく実現できず、重厚な知識基盤あるいは経験基盤をもったそのうえで、多サンプルの事例を客観的に捉え、恣意を排して冷静に考察していく習慣をもつ「学問」の下支えが欠かせなくなるだろう。

高度成長期における日本の経営教育は二大専門企業研修会社が支え、大学は企業の期待には必ずしも応えられずにいた。[v]この時期の経営は、学問である必要も、科学である必要もなかったのかもしれない。

しかし、わが国にも経営大学院が設置されはじめ、各大学がしのぎを削ってきた過程には、大学が持つ問題設定力、分析考察力、そして知識発信力が企業人材の育成に資しているという確かな手応えがあった。企業研修においてもコーポレートユニバーシティの選抜リーダー育成には国内外のビジネススクール教員が大きく関与し、ビジネススクール教育と企業内教育の境界が昔ほど明確でなくなってきた。

このように経営が真に科学であるならば、ビジネススクールの授業も、「分析枠組みの活用」や「理論の実践への適用」という次元に留めず、多彩な学問の裏づけをもって学際的に、そして経営実践をモチーフにした「総合芸術」としても扱われる必要がある。となると、そこに一日の長があるのは学術大学院であり、伝統的大学が設置したビジネススクールは今こそその真価が問われているようにも思う。

また、ここまでの文脈を借りて、ケースメソッド教育の特徴側面として「教師が講義をしない」「扱う問題には正解はない」ということばかりが強調され過ぎることの弊害も、併せて指摘しておきたい。

表面的に理解されたケースメソッド授業の教室では、そこで教師で何かを教えているわけではなく、ましてや、科学の手順を踏んで何かを探究しているわけでもない。しかし、それでも受講アンケートには「議論は楽し

iv　吉田民人（1999）「21世紀の科学―大文字の第2次科学革命」『組織科学』第32巻第3号、4-26頁、組織学会。
v　高宮晋（1976）『日本の経営教育への提言』産業能率短期大学出版部。

かった」という言葉が並んでしまうがゆえに、授業者がそれに甘えるという構図が生まれやすい。これでは「プロが行う誠実な教育」とはいえないはずである。

このようなことは「まがい物のケースメソッド」という表現で、1940年代の米国ビジネススクール界にすでに大きく指摘されている。[vi]

それでは、本学がすべてパーフェクトかと問われると決してそうではなく、もちろん発展途上である。しかしながら、本学を含むケースメソッド教育を真摯に実践しているビジネススクールでは、教員がケースメソッドを「本物」たらしめんと日夜努力しており、「まがい物のケースメソッド」と明確に識別されなければならないのだと、入念な自己点検を重ねている。そのことだけは、ここで伝えておきたい。

学生はケースメソッドとどのように向き合うか

名商大ビジネススクールの場合、入学者のおよそ8～9割は、本学が入学志願者に提供している体験授業を経ての入学である。筆者らがビジネススクールで学んだ時代にはそんな機会はほぼ皆無であったことを考えると、今日の学生は恵まれているともいえる。

しかし、一回か二回の体験授業で見えてくる事柄はやはり限られていることを差し引くと、ケースメソッドを「ひとまず知った」という段階に過ぎない。

また、入試面接ではすべての志願者に「クラス討議でどのような貢献ができそうか」と必ず尋ねるのだが、入学後にクラスで朗々と意見を語るであろう志願者にも数多く出会うものの、「人前で話すのが苦手」という弱点を認めつつ、それを克服したいがために入学を志望している志願者のほうが圧倒的に多い。

このように、本学ビジネススクールの教室には最初から役者が揃っているわけではなく、入学して役者になるのである。本学に入学してくる学生といえども、人によっては当初、ケースをもとに討論して学ぶことへの不安やネガティブな印象があったのかもしれない。しかしそれでも、入学の決意に至る過程でそれを拭い取り、ケースメソッドで学ぶことへの期待に胸を膨らませ、「ケースメソッドと運命をともにする」する覚悟を決めて入学してくるのである。

さて、そんな新入学生が入学後、ケースメソッド教育にどのように適応するかというと、それは「当為の法則」ならぬ「必然の法則」に則ることになる。多額の入学金と授業料をすでに支払ってしまった新入生は、ケースメソッドによるMBAプログラムに適応せざるを得ない。ケースの予習をして、クラスで発言しないことには成績が整わず、進級も卒業もできないからである。

ケースの予習、すなわち発言準備を済ませた学生は、クラスディスカッションの前に小グループでのディスカッションに臨むが、そこでは誰がどのくらい入念な準備をしてきたかが一目瞭然になる。意欲的な学生同士が意気投合する学びの渦の中に入れなかった学生は、次の授業日までに猛省して出直さなければならない。いささか暴力的に聞こえるかもしれないが、ここで生きていくには、熱心に予習をして、グループで仲間に認められ、クラスで発言し、クラスに貢献し、教師からも評価されなければならない。

このようなわけで、入学後はじめての授業では「やった、発言できた」と本当にうれしそうに深く安堵している学生や、「結局、発言できなかった」と落胆している学生の姿が教室内に散見される。これが、新入学生を迎える本学の、4月と9月の風物詩でもある。

また、名商大ビジネススクールに関していえば、ケースメソッドとの対峙という非日常性の上に、成績評価の厳しさという辛味のスパイスが振りかけられる。

本学では、各科目の履修者の成績を点数化して昇順に並べ、上から1

vi Gragg, Charles I., “Because Wisdom Can't be told”, in McNair, Malcolm P.(ed.), The Case Method at the Harvard Business School: Papers by Present and past Members of the Faculty and Staff, pp.7-14, McGraw-Hill, 1954.

割をA、次の3割をB、そして下から3割を不合格とする相対評価を行っており、不合格者には単位を出していない。このことはケースメソッドの本質とは直接関係ないが、学生の立場で考えると、非常に強く、そして大きくむすびついてくる。入学当初、「自分はクラスの下から3割には該当しない」と胸を張れる学生はほとんどいない。こうした恐怖感と隣り合わせのまま、最初の学期がはじまるのである。

ビジネススクールの授業に大なり小なりのサバイバルが存在することは事実だとしても、共創が競争を上回って生じてくることに向けた仕掛けもまた幾重にもある。たとえば本学では、ケースメソッド授業のすべての参加者に「勇気」「礼節」「寛容」という徳を求め、教室では「学びの共同体」を目指し、ロースクール的なソクラティックなムードではなく、温かいムードを維持するようにも努めている。

こうして、ケースメソッドで教えているビジネススクールに入学すると、予習また予習の2年間がはじまり、最初の1、2カ月はまさに「生きた心地がしない」。しかし、ビジネススクールに来るような学生はもともと学習能力が高いので、すぐに予習上手になり、発言上手にもなる。非日常的と感じられた日々もやがてそれが日常となり、うまく習慣化される。ただそれでも、ケースの予習が生活を「支配」していることに変わりはないのである。

学生はなぜこうした荒行に耐えるのか

筆者が慶應義塾大学ビジネス・スクール（KBS）のMBA学生だったとき、最初の入学合宿で新入生担当としてお世話いただいた余田拓郎教授（当時、助教授。現在は教授で経営管理研究科委員長、ビジネス・スクール校長）に「ここで2年間学ぶと、どうなるのですか」と尋ねたことがあった。余田先生ご自身もKBSのMBAホルダーだったこともあり、入学早々ヒートアップする予習合戦に音を上げつつあった筆者は、「この先生に聞いてみたい」と思ってそう尋ねたのである。

そのとき余田先生は、「卒業すると肉汁がじわっと出てくるようになる」と答えられた。そのときの筆者は、わかったような、わからないような気持ちでもあったが、その言い回しには独特の深みがあり、いまでも時々思い出してしまう。

その2年後に筆者も卒業して、再び社会に出た。そのときに感じたことも付記しておくと、クライアント企業のビジネスの営みが、なぜかとても「ゆっくり」と感じられたのである。それはまるで、高速道路を自分はそこそこ性能のよいクルマで走っていて、スッと加速もできるし、サッと減速することもでき、道路状況もだいたい見通せている、という感覚だった。いま思い返すと、たいへん懐かしい感覚ではあるが、確かにそう感じたものである。

ビジネススクールで大量の高速処理を立て続けに行うと、必ずしも速いスピードで情報の収集や分析や判断がされていない世界に戻ったときに、自分に余裕が生じ、その余裕を中長期展望、戦略立案、職場環境整備、他者に対する配慮、後進の育成、そして、さらなる自己啓発に充てることができる。また、その延長上により上位のマネジメント職としての活躍像も見えてくる。

卒業後に変わるのは、ポジションや給与でもあるだろうが、何よりも時間の質が変わる。それはクルマに例えれば、エンジンと足回りが強化されることによる走りの質の向上であり、走り、曲がり、止まるのすべてに爽快感が増すということである。

そんな話を先輩たちから聞くので、学生たちはこの荒行に耐えようとする。その過程で、古今東西のビジネススクールにおいて“Tough Mindedness”と尊ばれてきた精神力（それと時として「神通力」でさえあるだろう）が鍛えられるとともに、仲間が不得意とする領域のケース準備は進んでサポートしたりすることを通して、人間の器の大きさも育まれていく。このようにケースメソッドには全人格教育という重要な一面があり、HBSの古い教員たちは「ケースメソッドは態度教育」とまで言い切るのである。

このように、ケースメソッド教育の歴史は、この教授法で学んだ人たちの深い「満足」によって支えられてきた。それは毎時の授業満足度調査で測るような満足の端切れではなく、今日は授業に参加して「気持ちよく発言できた」などというような手軽に味わえる満足でもなく、手間暇かけて育てた作物が、長い月日を経て実りはじめたときにようやく感じとることができるような高次の満足である。エビデンスも大切かもしれないが、当事者の満足、それも高次の満足、それこそがもっとも重要なのではないか。

ビジネススクールで得るものは、直接的には経営管理能力であったとしても、そこには人間的な成長も力強く伴走していて、自分の人生を豊かになりつつあることへの幸福感がそこに追従するからこそ、学生は艱難辛苦を乗り越えてMBAという学位を取得しようとする。このとき、備わった経営管理能力にも、人間的成長の足跡にも、ケースメソッドという教授法が実は大きく影響しているということが、社会には「意外と理解してもらえていない」のではないかと筆者は考え、本章を記した。

本書の導入としての説明は、以上である。次章以降では、本書のメインボディを担当する本学教員が、学生に向けて入念に構築し、精緻に実践している「ケースメソッド授業」の一部始終を、生々しく、そして熱く紹介してくれる。

2

ケースメソッド授業活用法

リーダーシップの授業で
ケースメソッドをどう利用するか

ケースメソッドは、クラスの中で、ケースという事例についてさまざまな角度から意見を出し合い、ディスカッションをするという授業方法である。教室で他の受講生と一緒に問題について考えることで、自分の頭の中に「多角的な検討」が進行する。

自分がリーダーとなり、何かを決定しなければならないときに、いかに多角的な検討ができるかはとても大切である。利害が反することに対して、頭の中でシミュレーションをしたり、要因ごとに重み付けをしたり、利益と不利益の推測を前もってしておくことができれば、より良い決定をより迅速にすることができるからだ。

ケースメソッドでは、その訓練ができる。

それに加えてもう一つ重要なのが、「自分がリーダーになるか、他の人がリーダーになるかで、状況がまるで変わる」ということを、ディスカッションの中で理解しておくことである。

自分がCEOの立場に立ったときと、他の人がその立場に立ったときでは、「起こることはまるで違う」からだ。「その社長」を取り巻いている環境の中で意思決定がなされるということを、我々は覚えておかなければならない。

わかりやすい例を挙げるなら、改革に外国人社長が送り込まれるか、プロパー（例えば自分）が担当するかで、その後に起こることや身の振り方は、大きく違ってくるのだ。ここが戦略や経営数字を扱う勉強とは大きく違うところでもある。

「数字について自分はどう判断するか」「どういう計算手順を取るか」に関しては、「自分自身」は表には出てこない。しかし、リーダーシップに関していえば、個人が前面に出てくるという特徴がある。専門用語では

「シチュエーショナル」という言い方をするが、このような個人状況・条件の自覚を持っていないと、人の上に立つことはそもそもできない。
こういう訓練は、ケースメソッドだからこそできるものであり、また、リーダシップという科目だからできることなのだ。

本書では、2日間を使って特別授業を行い、ディスカッションを収録した。学生たちにはあらかじめケースや論文を読んで、「事前予習設問」に答えてもらい、授業の前半はグループでそれらの設問に関して討論し、後半はクラス全体で討論を行った。本書にはそのクラス討論が収められている。

小さなチームや中小企業でのリーダーシップ

1日目に持ってきたのは、小さなチームや中小企業におけるリーダーシップである。大企業に勤めている人でも、最初に経験するのは、プロジェクトや部署単位のリーダーのはずだ。小規模なチームの中で発揮されるリーダーシップにはどのような特徴があるのか、2つの例から見ていく。

まず最初は、林成之先生が率いた医療現場でのリーダーシップである。小さなチームでのリーダーシップに該当する。
実はこのケース、何年も使用していなかったのだが、大手銀行に勤めている卒業生からの連絡がきっかけで、クラスでも使うようになった。その卒業生は銀行で人材育成を担当していたのだが、「先生はこのケースを使っていますか?」と聞かれて、「いや、使ってないよ。だってお医者さんのケースじゃない」と言ったところ、彼に「銀行支店長にとって、支店を構成する数十人の行員たちをマネジメントしてリーダーシップを発揮する場面で重要な側面や要因を、林先生のケースはいっぱい持っている」と言われた。彼からこのケースを使って支店長研修をするように頼まれたため、東京と名古屋と大阪の3都市で、合計250人ほどの支店長を対象に講義と討論をした。一般企業であっても、小さなグループをどう率いていくかについて考えることができるのがこのケースである。

2つ目のケースは、100人超の中小企業を率いる二世経営者を扱っている。吉田英樹さんは実名。リアルで貴重なケースだ。二世経営者の割合は、受講者の中でも読者の中でもそれほど大きくないはずだが、二世経営者がこのケースを扱うと、気持ちが入り過ぎて涙してしまう……ということが多々ある。もちろん、多くの方にとっては自分とは違う立場を背負った方の話であるため、一歩引いた気持ちで客観的に考えることができるはずだ。

討論では吉田氏の改革を評価していくが、改革の手法や手続きが単に良かったか悪かったかだけでなく、「どういう点において（評価の観点や背景）」を重視している。実際に、受講生たちの意見はかなり違っている。このような議論を目にすることで、自分自身が当初抱いた考え方に、もしかすると変更が生じるかもしれない。

チームにせよ中小企業にせよ、小さなグループにおけるリーダーシップは多くの読者が経験しうるものだ。人を動かしたり指示したりしなければならない局面で、この2つのケースから生じた議論を思い出していただけると、多角的にその局面を分析できるようになるはずだ。

大企業におけるリーダーシップ

2日目は大企業におけるリーダーシップを扱っている。

リーダーになる場面で、巨大な、数万人規模の組織の長になる経験は貴重なものであるから、もちろん授業として扱かっておくべきものの一つである。一方で、教室にいる受講生や読者が、すでに数万人規模の長になっているとは思えないし、今後すぐそのような立場に立つわけではないということも理解している。しかし、何年か先に数百人の組織の長や、千人規模、ひょっとしたら数万人規模の長になることがあるかもしれない。そしてその立場に立ったときに学ぶのでは「もう遅い」ということが多い。

もちろん社長になる手前で、準備万端整っている、という人はいない。とはいえ、その手前で何も訓練をしないというのでは、あまりに無防備過ぎる。ケースメソッドでの思考訓練や討論は、その練習効率を最大にしてくれる。リーダーシップの授業を受講している学生にとってこの授業は、パイロットがシミュレーターで飛行訓練を重ねているのと同じようなものなのだ。

また、このような大規模な組織のリーダーシップを授業として扱っておくことで「自分が所属する組織が何をやっているのか」がわかるようになることも事実だ。大きな組織の動き方を、リーダーという立場に立って、俯瞰して眺めておくことで、その視点が得られるようになる。

現代の経営において、社長にとっての非常に重要なチャレンジは、「変革」である。つまり、経営変革・組織変革をすることだ。そのため、複数の企業のケースを持ち出して、比較ができるようにしたいと考えた。午前は3つの日本企業のケース、午後は4つのアメリカの企業を評した論文（本書ではその論文の事例部分）を扱っている。つまり合計7社の変革を俯瞰してみることができるというわけだ。

共通するテーマは、変革を進める順番である。通常、変革は「文化→業績」の順番で行うのがセオリーとされている。午前の村井勉氏のケースは、先に文化を変革した。そうとらえてもらっていいだろう。いわゆる日本の大企業の変革において、村井氏がどのような手法をとったのか、3つの企業の変革において変えたのはどのような部分なのかを見ていく。

午後は一転して「業績→文化」の順で変革したアメリカの企業について考える。「文化→業績」という順番での変革が当たり前と考えられている中で、「本当にそうなのか?」という視点を持ってもらうことが目的である。

ここに参加している受講生のみなさんも、多かれ少なかれ、変革に携わったり、巻き込まれたりしている。この議論をする中で、自分が持つ背景が自分の意見に大きな影響を及ぼしていることに、気づくこともあった。例えば外資で働いている受講生と典型的な日本企業で働いている受講生の議論が、なかなか嚙み合わない、ということも起きた。

実際には、そのように考え方が相いれない人と仕事をしていかなければならないということは頻繁に起こる。突然外国人が上司になることもあるし、まったく違う文化を持った企業を買収したり、されたりということもある。異なる文化を持った人が、同僚や上司・部下の関係になったりすることも、もはや珍しいことではない。

ケースメソッドを受講し、さまざまな背景を持った受講生と同じ問題について議論することで、「同じことを話し合っても、背景や文化が違うとまったく相いれない」ということがわかることも、ケースメソッドにおける授業の大きな収穫となる。このあたりについても注目して読み進めていただきたい。

3

理論編

本書のケースは、先にも述べたように、小さい組織から大きい組織の順に並んでいる。

小さい組織の1つは医療の「チーム」、そしてもう1つは中小企業となっている。この2つで比較的小さい規模のリーダーシップを学んでいく。前者は創造的な仕事が求められる「チーム」でのリーダーシップ、そして後者は事業承継が求められる組織についてである。

次に、比較的大規模な組織を取り上げた。ここでは組織の変革をテーマとしている。一人の改革者が3社について連続で変革した事例と、「文化」ではなく「業績」というレバーを先に操作した4つの事例を扱った。

集団やチームに対する動機づけ 注1

最近、多くの企業で10名前後の集団である「チーム」を編成して仕事をすることが増えている。例えば最初に扱う「すごい医療チームをつくる」というケースも、チームを単位としている。

この場合のチームは通常、リーダー（つまり上司）がいて、複数のメンバー（部下たち）で形成される。そして、通常の部署に見られるような上司と部下にある「タテの関係」に加えて、メンバー間が連携するいわゆる「ヨコの関係」が強調される。これが「チーム」の特徴である。

そのため、チームリーダーは、上下の関係だけでなく、部下たちのヨコの関係に関しても、しっかりマネジメントしなければならない。

図表1 | **グループとチームの比較**

出典：スティーブン P. ロビンス『組織行動のマネジメント』ダイヤモンド社、2009年

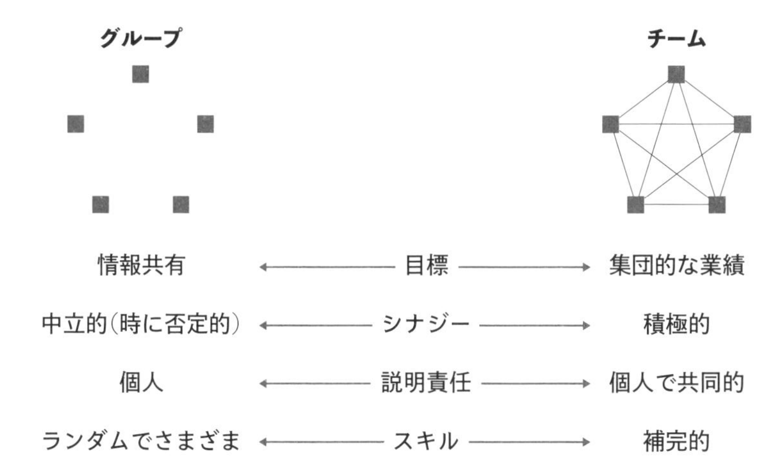

組織がこの種のチームを編成する最大の理由は、メンバー相互が協調することで、プラスの相乗効果（シナジー効果）をもたらすことを期待しているからである。一人ひとりの仕事上の業績の総和よりもさらに高い業績を狙うために、チームのリーダーには通常のマネジャーよりも多くの努力や工夫が求められることになる。

このような成果を得るために、チームリーダーは、チーム全体のつながりの中でも、特にヨコのつながりをマネジメントしていく。これを「ヨコにつなぐ」と呼ぶ。この「ヨコにつなぐ」を実現するためには、上司が、部下どうしで必要な情報を配り合える状態をつくらなければならない。これを「ヨコに配る」といい、（部下どうしという）ヨコのつながりを通して、マネジメントに必要な情報を配る、ということを意味する。

では、ヨコに配るべき情報には、どのようなものがあるのか。主には次の4つである。

1｜その仕事はどんな状況でどんな意味を持つのか
2｜メンバーはなぜその仕事を担当するのか
3｜その仕事はどう評価されるのか
4｜リーダーは何を考えているのか、メンバーは何を考えているのか

これらの情報は、チームを形成していなくても、上司が部下に配る種類のものであるが、異なる点は、上司から部下に一方的に配るのではなく部下どうしが「配り合う」という関係になっているところである。

この状況を理解するために、チームで分業している状況を具体的に考えてみたい。チームに1人のリーダーがいて、その下にAさん、Bさん、Cさん、Dさんという4人のメンバーがいるとする。

4人のメンバーはそれぞれ仕事を分担するが、同じ仕事をすることはない。それぞれが別の仕事を担い、リーダーがそれを統括するという形になる。チームではシナジー効果が期待されているため、それぞれのメンバーは通常の業務のようなお決まりの役割や、マニュアル化された手続きを超えて、状況の変化に柔軟かつ迅速に対応していく仕事のスタイルをとるようになる。

また、チームで担当する仕事は、担当や役割分担が次第に緩くなり、重なりを持って、形を変えて動いていく。チームがシナジーを生む理由はそこにある。

4人の仕事は、初めから仕事がはっきりと固定されているわけではなく、担当業務がどこまでの範囲なのかもよくわからない状態でチームは走り始めることになる。このように、走り始めてから仕事の業績をあげていくため、活動の進行によって仕事の内容は変わっていく。

仕事の内容が変わるということは、現状の業務に加えて、新たな要素が入ったり、もしくは減ったりということがある。そのため、リーダーもメンバーも、目配りをしていかなければならない領域や中身が、徐々に変わっていく。個々のメンバーの具体的な活動も、途中で形が変わっていき、その形

に合う新しいやり方に進化していく。これを「チーム活動の創造性」と呼んでいる。

「ヨコに配る」の意味

さて、チームの仕事がどういうものかを整理したところで、あらためて「ヨコに配る」ということを考えてみたい。

チーム自体の仕事がその進行に伴って形を変えていくため、個々のメンバーの仕事内容も変わっていく。仕事の内容が変われば、「ヨコに配る」ための重要な追加情報が刻々と生じることになる。

追加情報とは、各メンバーがする仕事の活動が、

・どのように変化し、
・どのように新しいやり方をとり
・各メンバーがそれをどのように担っていくか

ということについての情報となる。

この追加情報をチーム内でヨコに共有しなければ、チームの仕事はうまく回っていかない。「お互いがどんな活動をしているのか」という情報を共有化できないと、仕事のシナジーは生じないからだ。

チームリーダーの重要な役割とは、部下4人が「メンバー相互で仕事の進捗を共有し、アイデアを出し合い、新しいやり方を共有する」ということ（メンバー間で「配り合う」こと）がスムーズに行われているかどうかをチェックすることだ。そして、もしそれがうまく行われていなかったら、行われる仕組みをつくって、機能させることで、メンバーどうしをつなげていかなければならない。これはチームリーダーの仕事である。

図表2 | **メンバーを動機づける**

リーダーはメンバーを動機づけねばならない

▼

メンバーの高い動機づけとは?

- 自らの手で
- 自らの工夫と努力で
- 自らのためというより、チームのため、会社のため、顧客のためにより良い仕事をしようと意欲を高くする

チームリーダーは「共振」を起こす

チーム内で「配り合い」が進行すると、「共振」が生まれる。共振とは、メンバーどうしが仕事に関する状況を共有する中で、仕事の方向性や仕事への努力をお互いに認め合い、たたえ合い、励まし合う、といった場面を指す。一言で言うと、「チームに熱気が生まれ、一丸となる」ということである。

共振が生まれると、チームとしての動機づけは高く維持される。この時の動機づけは、メンバー一人ひとりの動機づけの合計よりも高くなる。これが「チーム効力感」と呼ばれる集団の内発的動機づけであり、シナジー効果の源となる。

ただし、メンバー間の「配り合い」がうまくいかないと、共振は弱まり、消滅してしまう。チームリーダーは、共振を起こし、強めるための「配り合

い」がうまくいくように取り組まなければならない。それには次の3つのポイントがある。

1｜チーム内で、仕事やそのやり方について相互に知り合い、共有するために、恒常的な情報交換の場をつくっておく
2｜情報交換の場の特性として、速い情報交換ができること（新しい情報を得たら、即座にチーム全体に伝わる速さが必要）
3｜メンバー間で相互に声を掛け合い、積極的に発言する

1の「恒常的な情報交換の場」に関しては、形はどのようなものでもかまわない。朝会、飲み会、またはソーシャルメディアを使ってということも考えられる。どのような場を設定するかは、チームのミッションや特性にもよるだけでなく、リーダーのセンスも問われる。なるべくメンバーが参加しやすい場をつくれるような工夫が、リーダーには求められる。

図表3｜**内発的動機づけとは**

- 非常に面白い
- 惹きつけられる
- ワクワクする
- 満足感がある
- 成長できる
  →自分のことより、仕事の面白さに意識がいく
  →給料の不満が第一とならない

このような種類の仕事をすることで、
メンバーが動機づけられることを「内発的動機づけ」と呼ぶ。

次世代後継者のリーダーシップをどう鍛えるか 注2

同族経営の企業の場合、大きく分けて3つの存在が相互に影響を与えながら、企業活動を営んでいる。

図表4｜**同族企業の構図**

出典：Three-Circle Model of Family Business by John Davis

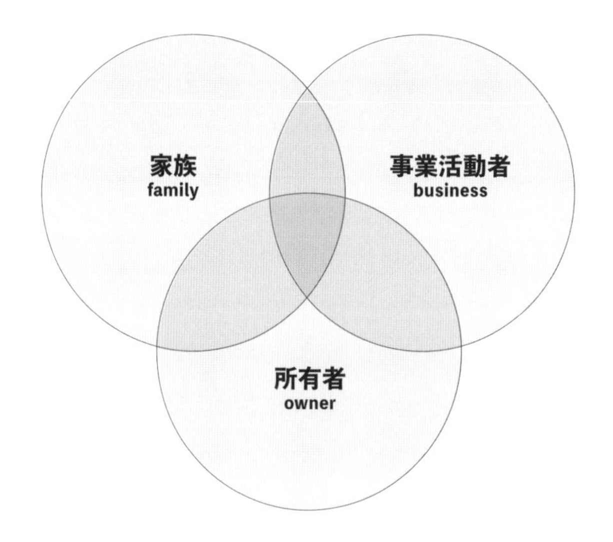

この3者は、それぞれが1つの役割だけを果たしているのではなく、互いに重なり合っている。

株式会社の場合は、「企業の所有者」は株主となるが、同族経営の企業の場合、創業家が所有者である場合も多い。創業家が所有者であり、かつ事業活動を行っている場合もある。

こうした家族経営の企業の場合、経営承継の際に「誰に・どのように承継させるか」という問題で、軋轢が生まれやすい。これは親族の間に生じる「相続の問題」と密接に結びついているからだ。こうした課題に対し、過去に同族企業に実施した私の研究室のヒアリング調査では、少ないサンプル数の調査だが、親族間でいがみあわずに経営承継できた企業には、ある共通項が存在することがわかっている。

親族間の問題をクリアできた企業に共通していたのは、「大おばあさん」のような存在が関係者のコミュニケーションをつないでいたことだ。その人が中心となり、年に何度か関係者が集まる季節の機会を設け、そこで相続争いの前哨戦や調整がされている。経営承継にまつわる問題は、相続問題が発生する「前」に、ある程度のコミュニケーションをとっておくことが重要で、そうした微妙な問題を話し合うための場を用意する存在がいたことが、親族間の軋轢を抑えることに一役買っていた。

また、創業家が大株主（所有者）である場合、同族の中から次の社長が出ることが多い。そうなると、一般社員のモチベーションは上がらないし、会社へのエンゲージメントも育たない。それだけに、同族企業の経営承継では、株式の保有比率ではなく、経営能力がある後継者を選ぶことが重要となる。ここでいう経営能力とは、事業活動の中の実務的な経営能力だけを指しているのではない。「integrity（インテグリティ、誠実さ、真摯さ）」といった従業員から信頼される人間力が備わっていることが要件となる。

では、「integrity」は、具体的にどのような場面で発揮されるのか。

ファミリービジネスの場合、創業家の家族は、その企業の利益が生活費となる。株式の保有比率によって発言力や配当金の額が変わる。そうした前提がある中で、家族間で利害が対立した際に、問題を解決し、企業をより良い方向に導くために必要なのが「integrity」だ。経営者には、「家業は単に家族のための仕事ではなく、従業員や社会のために存在する」という視点を持つ誠実さが求められる。また、株式の保有比率にかかわらず、企業を守れるかは経営者の人間力とリーダーシップにかかってくる。

経営者を育てるために重要な「危機を克服した経験」

図表5は、職業決定時のメカニズムを分類したものである。職業アイデンティティ（ある職業に就くことを自身の拠って立つところとすること）を確立するために、どのようなプロセスを踏むのかを示している。

図表５ │ **職業決定のメカニズム**

出典:J.E.マーシャ「職業アイデンティティ」

	職業アイデンティティ	（人生の）危機	職業の決定
①	アイデンティティ達成	経験した	している
②	モラトリアム	最中	しようとしている
③	早期完了	経験していない	している
④	アイデンティティ拡散	経験した／未経験	していない

①は、「アイデンティティ達成」といい、職業上または人生の危機を経験した上で、職業を決定している。例えば企業で働く社会人の場合、社内で困難に直面して、いったんは失脚し、その後にそれを乗り越えてチャンスをつかみ、出世していくようなケースだ。危機を経験した上で、強い動機を持って職業を決定し、アイデンティティを確立している。経営者にとって最も望ましい状態だ。

②の「モラトリアム」は、危機の最中にあって職業を決定しようとしているものの、決まっていない状態。危機の真っ只中にいるため、自分に自信を持つことができていない。

③は「早期完了」といい、危機を経験してはいないものの、職業が決

まっている。これは創業家の跡取りが典型となる。

④は「アイデンティティ拡散」で、危機を経験した、または未経験で職業を決定していない、落ち着かないケースだ。ジョブホッパーと呼ばれる職業を転々とするものがこれに当たる。

リーダーシップを鍛える際、何らかの危機や修羅場を経験し、克服した経験が大きく作用する。それを乗り越える中で、アイデンティティが確立し、その仕事に耐えられるだけの能力が育っていくからだ。

ファミリービジネスで主に問題になるのは、③「早期完了」のケースだろう。「早期完了」とは、危機を経験していないため、その職業に対する強い動機づけがなく、職業アイデンティティを達成できていない状態だ。

ただ、好んで修羅場に入る人はいないし、危機は計画的にやってくるものでもない。それでも「早期完了」の段階にいる人が、その後に危機を経験し克服することで、「アイデンティティ達成」の段階に移行することは少なくない。

危機に直面し、解決に向け奮闘した経験は、人を強くし、また挫折させもする。そうした過程の中で、「内省（自分自身を見つめ直すことで、自己理解と他者理解を深める）」することになる。こうした過程を経た後継者は、「integrity」の度合いが高まっていることがわかっている。

創業家の子息へ経営を引き継ぐ際には、「危機の経験」が一つのキーワードになる。このことを踏まえた上で、「二世経営者　吉田英樹の苦闘」（95ページ）のケースと議論を読んでいただきたい。

組織変革のための解凍・移動・再凍結[注3]

▶1　組織変革の「人間軸」と「技術軸」

環境の変化に応じて経営活動を展開し、企業を成長させ継続させていくためには、組織を変革して新しい組織に再構築することは必要不可欠である。組織の内部的な必要性から組織変革が開始される場合もあるし、外的な要因から組織変革を迫られることもある。組織変革は企業にとって急激で大きな活動となり、今までの組織でない新しいものへの脱皮が求められる。

これから説明する「人間軸」と「技術軸」という考え方は、本書のすべてのケースにおいて参考となる。そのため頁数をかけて詳しく説明をしていく。

まず、人間軸とは「組織の中で活動する人間の考え方と行動をとらえる軸」である。

技術軸とは「業務の系統やそのために用いる経営技術、従うべき組織の制度」をとらえる軸である。

まずは、これら2軸で構成される平面（図表6）を用いて組織変革のプロセスを説明する。

図表6 | **人間軸と技術軸**

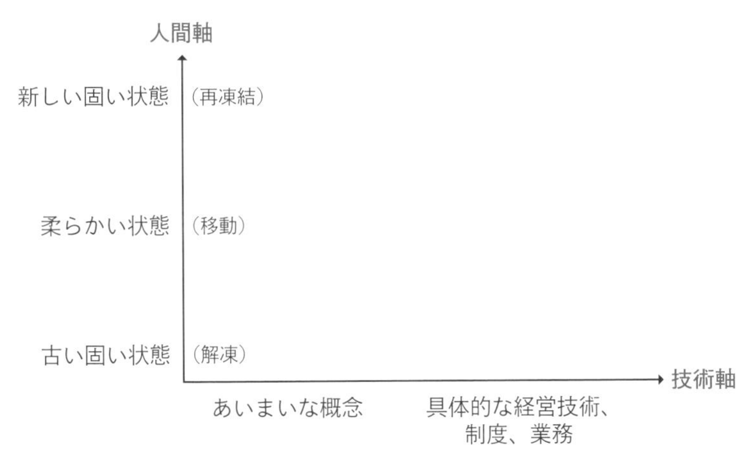

人間軸は人間についての軸であるが、技術軸は経営活動に必要な「経営技術や制度」「業務の系統」などをまとめてとらえる複合的な軸になっている。

このような複合的な技術軸を一つの軸として扱うのには理由がある。組織変革が求められるのは、新しい環境に適応する新しい経営技術や制度、あるいは業務の系統を導入する場合である。

そのようなときに、最も大きな変革が求められるのが「人間の考え方や行動」である。それを示す人間軸に対応する軸として、複合的ではあるが一つの技術軸を想定することで、組織変革のプロセスの理解を簡潔にできる。

しかも、環境変化に対応するための新しい経営技術や制度、あるいは業務の系統といったものの企画や設計は、組織メンバーの複雑な心理的側面をどうするかという配慮とは別個に、論理的・合理的な「技術論」としてなされ得る。このような理由から複合的ではあっても技術軸を一つの軸として構成しているのである。

▶2 「技術軸」の意味

「人間軸」に関する考察に進む前に、「技術軸」についてもう少し説明を加えておく。組織変革がなされるのは、環境の変化に適応して企業がその組織を革新しなければならないからである。

企業は環境の中で継続的に生存し、成長していかなければならないにもかかわらず、組織がひとたびつくられて動き出すとそれが固定化してしまい、変化する環境に適合しなくなる傾向を持っている。しかし現実の環境は、消費者の変化や技術の進歩とともに絶えず変化しているのである。

したがって、このような環境の変化と企業の固定化との間のギャップが大きくなったときが、新しい経営戦略を策定し、新しい技術、新しい制度、新しい業務の系統を導入して組織を変革しなければならないときとなる。企業はこのような脱成熟化（成熟段階から離れて新しい成長の道へ入ること）により生存し続けることができる。

脱成熟化の考え方に従って技術軸の意味を述べるとすると、変化した環境に合わなくなった企業組織の中に、新しい環境を先取りした経営技術、制度、業務の系統を取り入れ、新しい組織へと脱皮させることである。すなわち、組織変革における技術軸の活動は旧来の企業組織の中にある経営技術や制度、業務の系統を改め、新しい環境における経営活動に必要な経営技術や制度、業務の系統を新しく企画し設計することになる。

このような企画や設計は、論理的な「技術論」としてなされ、その任にあたるのは限られた数の人々や担当部署、ないしはプロジェクト・チーム等である。そこで重視されるのは、新しい環境における競争優位を確立するために、どのような資源を用いてどのような機会をどのように生かしていくかの論理の精密さや正確さであり、整合性である。

組織変革に必要な技術軸の活動が論理的な技術論を中心とするのに対して、人間軸の活動は明らかに組織メンバーの心理と感情を対象とする。企業の活動は企業で働く人々によってなされているのであり、組織変革の本質が彼らの変革にあることは論を俟たない。新しい環境に適応した新しい企業活動のあり方は技術軸が与えてくれるとすると、組織の中で生活する人々にそれらを理解させ、必要な新しい考え方と行動の仕方を身につけさせる必要がある。そのための活動が「人間軸」の活動となる。

▶3 「人間軸」の世界

組織の社会的慣性

組織変革における人間軸の活動目的は、環境変化に適応した新しい経営活動のために、組織のメンバーが新しい考え方と価値観で行動するようにすることである。そもそも組織には慣性力があり、新しい規則や仕組みをつくってもなかなか使われず従来のままの活動が依然として続く。このような傾向が組織の社会的慣性である。

例えば新しい経営戦略の展開に必要な、新しい経営技術が組織に導入される場合を考えてみよう。環境変化を取り込むためにその経営技術が必要であると判断され、組織への導入が外部のコンサルタントに依頼されてなされる場合である。このような組織変革で対処しなければならない社会的慣性の最も大きなものは、新しい経営技術の設計と導入計画を外部のコンサルタントに依頼し、その活動に内部の人間がタッチしなかったときに発生する。

外部コンサルタントは内部の人間の参加がないために、限られた情報を用いて純技術的な方法を適用し最大限に論理的整合性を高めようとする。そして合理的でエレガントな計画をつくり、報告書にまとめる。その報告書を受け取った組織変革担当者がいざ社内で実行に移そうとすると、組織内からさまざまな抵抗を受け、前へ進めなくなってしまう。これは報告書をそのまま書棚にしまい込んだ場合と同様であり、コンサルテーション費用の発生以外は実質的に何も組織に起こらない。

しかし実際には、抵抗の問題を放置しておくことで、極めて重大な帰結を招く。従来の組織の社会的慣性をそのままにして、新しい経営技術を導入することで、「何も起こらなかった」では済まされない大きな混乱が組織の中に発生する。

つまり、従来の組織の慣性を支えてきた人々の仕事のやり方は、新しい経営技術を用いるという名目の下に切り裂かれ、まとまりを失った業務の系統が古い価値観のまま遂行されて収拾のつかない事態に至る。そして、新しい経営技術による活動がどのようなものになるのかがまったく受け入れられていないために、新しい経営戦略としての統合性が発揮されず、以前よりもはるかにレベルの低い経営活動となる。これは、莫大な投資の無駄による重度の後遺症である。

組織変革における人間軸の役割は、従来の組織の慣性力を変換し新しい組織に必要な新しい慣性力をつくり出すことである。仮に外部コンサルタントに計画を依頼して組織変革が可能になるのであれば、すでにどの企業でも組織変革が成功していなければならないことになる。組織の深い部分に関わる人間軸での変革活動を、外部コンサルタントだけで行っていくのはほとんど不可能である。彼らと企業内部の人間との協調活動が不可欠なのだ。

抵抗のパターン

人間軸で扱わねばならない組織の社会的慣性が具体的にどのような形で表れるかを、コンピューター技術を活用した新しい大規模な情報システムを組織全体にまたがって構築しようとする場合を例にして考えてみよう。その時、社会的慣性は「変化に対する抵抗」という形をとって組織内に表れる。変化を否定しようとするさまざまな抵抗活動が現れたり、あるいは変化をまったく無視した従来通りの活動が続いたりする。もっともらしいタテマエ論を展開して変化を骨抜きにすることも行われる。

組織全体に横断的に情報システムを導入しようとした場合に発生する抵

抗には、その原因に基づいて3つのパターンがあるといわれている。

第1のパターンは、個人が原因となっている抵抗である。ある種の性格や価値観を持っている人は、導入される変化がどのようなものであれ、その個人にとっては受け入れられないものとして抵抗を示す。

例えば全社的な人材の有効活用のために社内人材情報システムの開発を提案すると、社内の人材に精通している特定の人事スタッフから抵抗を受けることがある。その抵抗は、彼個人の持っている人材情報が情報システムの導入によって、彼固有のものでなくなることと関係している。

この種の抵抗は、抵抗する個人を配置転換したり、あるいは逆に情報システムの設計にその人の参加を求めることで対処できる。このような抵抗は、社会的慣性の表れというよりも、むしろ個人的慣性の表れという色彩が強い。

第2の抵抗のパターンは、導入するシステムそのものが技術的に使いにくいために、その使用に抵抗するというものである。システムの使いにくさはいろいろな技術的問題から発生する。プログラムに欠陥のあるシステム、人間工学的に設計されていないシステム、ユーザー・フレンドリーでないシステム等である。

いずれにしても新しいシステムのパソコンソフトを使うようにいわれた人々は自分なりの慣れたやり方でなく、そのシステムの要求する使いにくいやり方をしなければならず抵抗する。この抵抗も、本質的には技術的な問題からの抵抗であり、社会的慣性の表れというべきではないかもしれない。

第3の抵抗のパターンは、従来の組織を基礎にする行動様式と新しい情報システムによって引き起こされる活動の仕方との相互作用から発生するものである。つまり、人の働き方とシステムの特性との間の相互作用のために、従来の組織における社会的関係が変化することから抵抗が発生する。これこそが社会的慣性の表れとしての最も大きな抵抗となる。

例えば分権化した事業部制の組織構造において、各事業部の経営情報を中央に集中する情報システムを導入すると、事業部間の業績競争の基礎をなす数字がいつでも誰にでも見えるようになるために、抵抗を受ける。あるいは、企業と顧客との間にオンライン情報ネットワークを導入すると、顧客情報を占有できる部門であった営業部門と他の部門の間の力関係が変わるため、権力を失う人からは抵抗を受け、新たに権力を獲得する人には受け入れられる。この種の抵抗は政治闘争にまで発展する場合があり、個人を変えたり技術的な問題を解決するだけでは解消しない問題である。

組織の文化と政治

▶社会的慣性は組織文化から生まれる

組織の持つ社会的慣性が変化への抵抗として表れるのは、従来の組織内の行動様式や考え方が、ある一定のパターンで安定的に共有されているために、変化を受けても安定を保とうとするメカニズムが働くことによる。これまで維持されてきたその組織独特の「ものの見方」や「仕事のやり方」は、組織に共有され「思考や行動様式」となっている。つまり「組織の文化」である。これらは人々の行動や考え方に、見えない形で影響を与えている。

組織が安定していればいるほど、強力な組織文化が存在している。そこに新しい経営の技術や制度、業務の系統が導入されると、組織文化が安定を維持しようとするための社会的慣性となり、変化に対する大きな抵抗力となって出現する。

▶組織文化の複合的特徴

組織変革がその組織の社会的慣性の変革になる以上、その組織自体がどのような文化を持っているかを理解しておかなければならない。しかも組織文化が、組織の要因を人々が複合的に認識して共有化した「価値規範体系」であるため、組織文化を理解するには、組織の要因を複合的でシステム的な関連のあるものとしてとらえることから始めなければならない。

この点を理解しやすくするために、組織の要因として「経営技術」、「制度」、「業務の系統」、そして「人間」を取り上げてみよう（図表7）。組織を構成するのは、業務の系統の中で相互作用を持つ人間、さらに、その業務を遂行するのに必要な経営技術、人と業務の関係を規定する組織の制度である。

図表７ | **組織の要因**

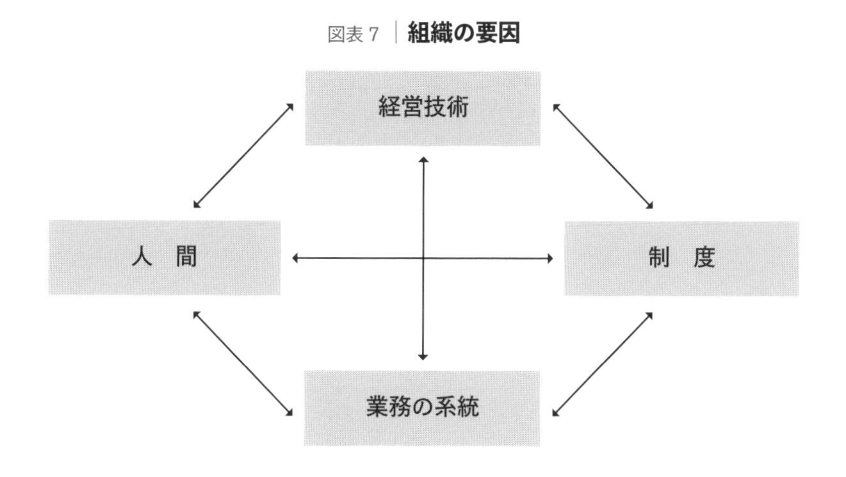

組織文化の理解にとって重要な点は、これら4つの要因が相互に関連しており、互いに影響し調整し合っているということである。1つの要因の変化が他の複数の要因の変化の原因となると同時に、その変化が二次的原因となって他の要因に逆に変化を与えるという循環的で複雑なシステム関係がある。この複合的な関係を、図ではダイヤモンドの形で表している。

したがって組織の文化とは、これらの要因の循環的な影響関係を通じて人間が認知する「行動の仕方」であり、「価値観」ということになる。

例えば、すでに述べたような、経営のやり方を情報化するために、大規模な情報システムを組織全体に横断的に構築するとする。このような「ある経営技術の変化」は、他の組織の構成要素の変化と密接な相互関係を持たなければならない。新しく導入される情報システムのために、業務の系統を新たにしたり、逆に廃止したりすることになる。新しい組織制度などは、新たに生じた影響関係の下に形成されるべきであろう。人の行動様式や価値観という観点からすると、これらの要因から生まれる「新しい関係」を人々が認識して初めて、新しい行動様式や価値観が形成され、新しい組織文化がつくられることになる。

しかし単に新しい情報システムが導入され、しかも他の要素がそれに関連して意味のある変化を起こさないとすると、新しい組織文化は形成されない。つまり、メンバーが持つ既存の「価値規範体系」にとって、新しい情報システムは何ら本質的な変化ではなく、安定を乱す「異物」としてしか認識されない。このような場合、一時的に小さな変化はあるものの、全体としてはいっこうに変わらないという組織のホメオスタシス（恒常性）行動が現れ、異物を排除しようとする拒否反応が起きる。それが社会的慣性であり、変化への抵抗と呼ばれるものとなる。

▶組織の政治的側面

組織変革は、組織の政治的なプロセスとも重要な関係を持っている。ここでいう政治的プロセスとは、意思決定における権力闘争や、利害の駆け引きである。そこには、組織内のステイタスの変化や利害の変更による人々の力学的な動きがあり、組織メンバーの持つ「価値規範体系」の変化に伴って、力関係の変更が起きる。組織におけるこのような政治的側面からも変化への抵抗が発生し、組織文化から発生する抵抗と同様に非常に重要なものとなる。

新しい経営技術や制度、あるいは業務の系統の導入は、このように大きな政治的影響を持つために、その意思決定プロセス自体も政治的プロセスとなる。政治科学においては、組織はお互いに衝突する優先順位、目的、価値を持つアクター（行動者）からなると見ている。技術的に考えてどんなに優れた組織変革であっても、それが組織内の権力関係を変化させる潜在的影響力を持っていると認識されるや、意思決定場面でのアクターたちは技術的側面だけでなく政治的側面から新しい技術・制度・業務について評価し、その導入に抵抗を示すことになる。

▶「価値規範体系」としての組織が変革の対象

変革を成功させるためには、単に技術論的に優れたものを導入するだけでは十分でない。「価値規範体系」としての組織の文化と、政治への影響を考慮することが必要となる。人間軸の変革活動の最も大きな課題は、価値規範体系の変更に伴うこのような抵抗に対処することである。

またこの変革は、個人を対象として考えるべきではない。変革の対象は、組織を構成する要素間の相互関連性であり、それについて人々が心の中に持っている共通認識としての「価値規範体系」である。

さらに、個人を変革することが組織全体の変革に直接つながらないことは、社会心理学的な研究からも明らかになっている。例えば、小人数のグループで心を開いた話し合いをする感受性訓練が個人の考え方を変えられることを示す証拠は多く発見されたし、また、場合によってはその小グループ自身の変革にも効果があることが研究されている。しかし、この手法による個人の変容が組織全体を変革する方法になるという証拠はほとんどない。

「価値規範体系」の再編成
——人間軸の活動プロセス——

組織変革において人間軸について考えるときに重要なのは、人間軸の活動の中心が、アウトプットそのものよりも、既存の組織の文化や政治を変えていく過程、つまり「プロセス」にあるということである。組織が深刻な危機的状況にあり、組織メンバーがそのことに十分気づいているのであれば、人間軸の活動は簡潔なものになるであろう。しかし、組織メンバーの多くがそのことに気づいていないのであれば、変革を組織に導入するための人間軸での活動はより複雑なものとなる。このことは、人間軸での活動プロセスが変革を成功させる重要な鍵となることを示している。必要な新しい「価値規範体系」を組織内につくり上げるために、それぞれの状況にあった手を次々と打っていくのが人間軸の活動プロセスとなる。

▶解凍・移動・再凍結のモデル

それでは、人間軸においてどのような活動プロセスがとられるべきなのであろうか。その具体的なプロセスを考察するに当たり、本論では、「解凍」、「移動」、そして「再凍結」の3つのステップからなるモデルを基礎にする。このモデルは組織に変化を導入していくプロセスを示す最も基本的なフレームワークである（図表8）。

図表8｜**解凍・移動・再凍結**

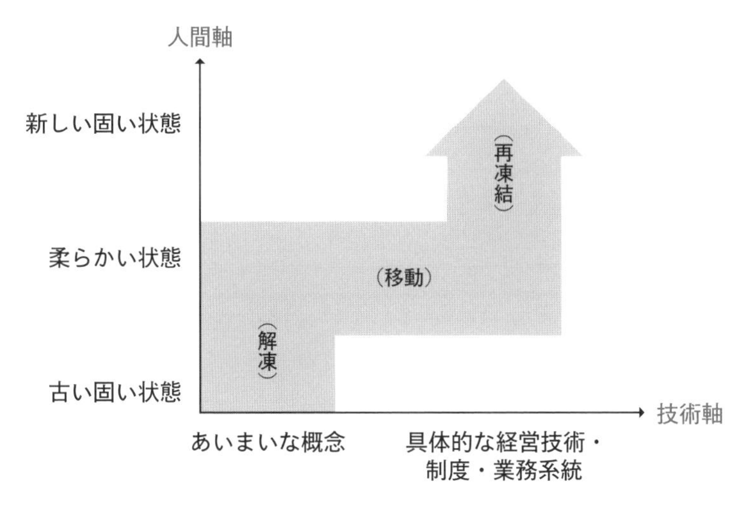

「解凍」とは、その組織のメンバーに一定の行動をとらせている力を変えて、彼らに新しい経営に必要な変化の方向性を理解させ、その準備をさせることである。言い方を変えれば、安定的な均衡を崩すことであり、変化への圧力を高め、あるいは変化への脅威のいくつかを取り除くことにより達成できる。

「移動」は、理解した変化の方向に向かって、新しい経営技術・制度・業務の系統に必要な行動や考え方を学習していくプロセスである。このステップで、技術軸にそった実際の変化が導入される。

「再凍結」とは、新しく導入された変化を定着させるステップである。すなわち変化した行動や考え方を、変化の対象とならなかった行動や考え方と再統合する。このステップによって、導入された変化は変化でなくなり、新しい安定した統合体としての組織となる。

▶「価値規範体系」を組み替えるプロセス

最初のステップは「解凍」である。解凍によって新しい価値規範体系の必要性が理解され、その受け入れ準備がなされる。つまり、新しい経営を構築する意味を理解し、そのためにこれからどのような活動が組織の中で展開されるかを、多くのメンバーに理解してもらうステップとなる。人々の凝り固まった価値観を「柔らかくして溶かす」のがこのステップである。

「移動」のステップは、新しい経営に必要な「経営技術、制度、あるいは業務の系統」を設計して導入する、技術論的な活動が実際に展開される。解凍が十分なされていれば、新たに導入される制度などについて、異物でなく必要なものとして認識される。

そしてそれを人々の心の中で共有化させ、新しい価値規範体系として組織の中に生きた形で根づかせるのが「再凍結」のステップとなる。新しいやり方で業務が行われ、新しい経営として形をなしていく。

すなわち、この解凍、移動、再凍結の3ステップとは、人々に共有されている価値規範体系を新しいものに組み替えていくプロセスなのである。このような組み替えプロセスは、なぜ、この3つのステップを通る必要があるのであろうか。

組織を変革する解凍、移動、再凍結の3ステップは、組織が自分自身に対して行う「創造的破壊」のプロセスであり、今まで保ってきたものを壊し、新しいものに創造的に変換していくプロセスである。

価値規範体系の組み替えのプロセスがなぜ「解凍、移動、再凍結」と表される3ステップをたどるのかを理解するために、「メタ認識」という考え方を用いることにする。メタとは「変化する」、「超越する」という意味の接頭辞で、メタ認識とは、今持っている考え方を一段高い所から見直して新しい認識を持つことである。従来の価値規範体系をメタ認識することが、新しい価値規範体系の必要性を認識することになり、それを創造していくことになる。

▶人間の脳における情報認識

メタ認識がどのようなものであるかを理解するために、その基礎となる人間の脳における情報認識の構造をまず述べておこう。人間の脳における情報処理過程では、物事、つまり事象（物、出来事、あるいはメッセージ）を認識するときは2種類の情報をもとにしている。

第1は、意識が焦点を当てている「事象」そのものに関する情報であり、第2は、その事象が配置されている「文脈（コンテクスト）」に関する情報である。例えばある組織制度について焦点を当てると、その制度の規則や適用の対象、あるいは実施のための個々の作業などの情報が「事象情報」となる。

一方、なぜその制度が会社で必要とされるのか、あるいは今後の経営にどのように役立ち、今の仕事とどのように結びついていくのかに関する意味や価値についての情報が「文脈情報」となる。

すなわち、人間が事象を認識するときには、事象そのものの情報の認識だけでなく、その事象の存在する理由についての文脈情報をも同時に認識するのである。この2つの種類の情報を統合的に認識することによって、人間はその事象を存在感のある現実的な事象として認識し、その意味をとらえることができる。そのとき我々は全体像を把握したといい、一段高い所から本質を見ることができたという。

新しい経営技術や制度、あるいは業務の系統の導入において、それらが有効活用されるために不可欠な新しい組織の価値規範体系が必要であると述べてきているのも、このような情報認識のメカニズムが人間の頭の中にあるからである。

新しい経営技術や制度、業務の系統そのものの事象情報だけでなく、それらの存在価値が文脈情報として組織の中に理解され、新しい価値規範体系としての組織の文化が形成されねばならない。新しい経営の事象情報と文脈情報の両方が統合的に理解されて初めて組織の中に有機的に存在できるものとなる。

ちなみに、ある事象に焦点を当てて事象そのものの情報を認識するのは分析脳といわれている左脳であり、事象が置かれている文脈に関する情報を認識するのが感情の脳と呼ばれている右脳である。さらにこれらの情報を統合する機能を果すのが2つの脳を連結している脳梁である。

したがって、左脳だけによる事象の純粋分析的な認識が行われると、背景となる事情や存在価値がまったく理解されないために、その人にとってその事象は実在感のない宙に浮いているものにすぎなくなる。

また、右脳だけによる背景や文脈の認識が行われても、焦点の定まらない雰囲気的な感情や不安感の意識にしかならない。このような左右2つの脳による情報認識の機能分担を脳梁が統合することによって、初めてその事象の意味や価値が認識され、事象に対する行動に実在感が伴うようになる。

▶メタ認識のプロセス

それでは、組織変革のステップがなぜ解凍、移動、再凍結の3ステップを通らねばならないのかを、メタ認識のプロセスとして考えてみることにしよう。すでに何度も述べているように、組織の構成要素は複合的で循環的な関係にあり、それらとの相互関係を通して組織メンバーは組織文化を「価値規範体系」として認識している。この価値規範体系はとりもなおさず人々が共有している文脈情報であり、価値規範の体系である。日常的な個々の仕事や技術が「一つひとつの事象」として認識されると、それが必要とされる事情や背景は、すでに存在している文脈情報と結びつけて認識され、その存在価値を認めることができる。

しかし、新しい経営のための方法などが導入されると、組織内に変化が起こり、今までなかったような仕事や、仕事と仕事の関係が現れ、新しい事象が頻発するようになる。ここで求められるのがメタ認識である。既存の文脈に当てはまらない新しい事象を、文脈そのものを再検討して、新しい文脈の中で認識をしていく必要がある。しかし、これがなかなか難しい。

そこでとられる第1のステップが解凍である。すなわち、これまでの文脈情報（つまり既存の価値規範体系）は「変える必要」があり、「新しい方向」へ進まなければならないことを理解するような経験を多く持ってもらうようにする。解凍の段階においては、具体的な改革がまだなされていない場合もあるため、その前段階となる次のような「新しい事象」を数多く人々に経験させなければならない。これは「必要性と方向性」という文脈情報を認識してもらうためである。

この働きを担う新しい事象とは、新しい経営のやり方で仕事そのものをやらせることではない。かといって、その必要性と方向性を言葉にして話して聞かせたり、文書にして読ませたりするものでもない。すなわち、解凍のステップとは、数多くのいろいろな事象を工夫して経験させ、新しい文脈を認識させることである。このようなねらいの事象が実際にどのようなものであるかは、授業で用いたケースに多く記述されている。ディスカッションとともに読んでいただきたい。

必要性と方向性の文脈が人々の心の中に形成された後、初めて、新しい経営に必要な技術、制度、あるいは業務の系統を具体的に企画し設計する活動が行われる。この段階が技術軸の活動であり、移動のステップとなる。移動のステップでは、「変化が必要であり進むべき方向性がある」という文脈の中で新しい経営技術や制度、業務の系統の設計が具体的に進行する。解凍が十分になされていれば、ここではそれらの活動に抵抗するという社会的慣性はもはや現れてこない。

最後の再凍結のステップに入ると、設計され策定された新しい経営技術、制度、あるいは業務の系統が組織内に導入され実施に移される。このステップで初めて、設計され策定されたものの具体像が組織内に広く浸透する。このステップでは、これらを実行に移し実践することが、経営的な効果をあげ、経営戦略的に役に立つという「実効性」の文脈情報を人々に認識してもらう必要がある。導入されたとしても具体的に実働結果が出ているわけではないので、それが実働したときの価値を実働する前に認識しておいてもらわねばならない。それが「実効性」の文脈情報として共通認識されなければならないものである。

このステップにおいてメンバーは、具体的な改革の中で仕事をすることで、多くの事象を新しい文脈の中で経験する。そうすることで、新しい価値規範体系としての組織の文化が形成されることになる。

---

(1) この項目の記述は次の書籍をもとにしている。
髙木晴夫著『プロフェッショナルマネジャーの仕事はたった1つ』かんき出版、2013年。

(2) この項目の記述は次の論文をもとにしている。
髙木晴夫著『次世代後継者のリーダーシップの鍛え方』Chain Store Age、2012年8月。

(3) この項目の記述は次の資料をもとにしている。
髙木晴夫著『企業組織と文化の変革』慶應義塾大学ビジネス・スクール、教材ケース、2008年。

4

実況中継編
——リーダーシップ

第1講 1日目午前 “すごい”医療チームをつくる

事前予習設問

1｜林氏は米国留学中、「強いリーダーシップ」で成果をあげた。一方、板橋病院救命救急チームでは「仲間意識リーダーシップ」がとられた。この転換はどのような要因を考慮してなされたと考えるか。

2｜板橋病院において、林氏の救命救急チームは、氏の在任期間を通じて高い成果をあげている。この成果の実現はどのような要因から形成されてきたと考えるか。林氏自身について、チームについて、救命救急という業務について、病院という組織について、時代についてなど、さまざまな角度から検討せよ。

3｜林氏の板橋病院救命救急チームと一般企業のチームを比べると、どのようなことが共通していると考えるか。一方で、共通しないと考えられるのはどのようなことか。

CASE

▶林成之氏の経歴

林成之（はやし　なりゆき）氏は、1939年富山県水橋に生まれた。日本大学医学部（1965年）、同大学院医学研究科博士課程（1970年）を修了した後、マイアミ大学医学部脳神経外科、同大学救命救急センターに留学する。帰国した後の1994年に、日本大学医学部附属板橋病院の救命救急センター部長に就任し、長きにわたって救急の患者たちの治療に取り組み続けた。その間、数々の画期的な治療法を開発して大きな成果をあげた。その中でも、多くの脳死寸前の患者さんの生命を救った“脳低温療法”は、世界にその名を知られる大発見となった。

林氏が医学の道を歩み始めた1970年代前半、脳神経外科は医学の中では極めてマイナーな診療科目であった。医者の数も少なく、医療水準も現在と比べれば大変低いもので、事故や病気で脳を大きく損傷したら、まず助かる見込みはなく、手術をしても多くの患者さんは亡くなっていた。

▶ベトナム医療援助プロジェクト

脳神経外科医になりたての1970年代の半ば、林氏は、日本政府による医療援助プロジェクトの一員として、戦争終息期のベトナムへ出向くこととなった。ここで林氏は平和な国の病院とはまったく様相の異なる医療現場を体験した。

朝に羽田空港をたって夕方に現地の病院に到着したとたん、もうそこには脳を損傷した重症患者が林氏を待っていた。20歳くらいの娘さんで、左前頭部を大砲による爆発物の破片がかすめたために前頭葉部分の骨が砕け、そこから脳がこぼれ出していた。あわてて手術にとりかかったが、日本の病院では学んだことのない、むろん教科書にも載っていない事例であった。いきなり未知の現場に放り込まれて、ともかく必死で異物を洗浄しながらなんとか手術を成功させた。

その後も毎日が勉強になることばかり。また、驚かされることの連続であった。

入院患者の家族が戦災で家を失ったのか、病院の裏手などにテントを張って野営していることも珍しくはなかった。その家族が、患者が助かるかどうか医者に尋ねる。一言でも医者が「難しい」などと言えば、家族が患者の点滴や人工呼吸器などを取り外してしまう。治るあてのない人間にそれ以上の治療を施しても医療費がムダになるだけだからだ。また現地の医者は、自分の技量や実績を示せる患者さん、そうでなければお金になる患者さんを優先的に扱っていた。戦時下の病院、そこは医学倫理の通用しない世界そのものであった。

医療機器や設備は粗末なもので、CT写真もなければ血管撮影もできない。写りの良くない簡易な手持ちのポータブルレントゲン装置があるばかりで、後は臨床症状だけを頼りに手術をしなければならなかった。それだけに林氏は、「どんな症状、どんな情報も見逃すまい」と、緊張感と集中力をもって患者さんとその症状に立ち向かった。この経験は、林氏にとって貴重な財産、最大のカルチャーショックとなった。「医療現場では何より、技術より人間力が試される」ということを体得するとともに、医者という職業が以前にも増して好きになり、「脳神経外科医を天職にしよう」という意思を固めることになった。

▶アメリカへの医学留学

林氏は単身で、2年間（1979～1981年）アメリカのマイアミ大学医学部脳神経外科に留学した。現地に着いて早々、アメリカの脳神経外科学会で、ある教授から「お前、ここへ何しに来た」と問いかけられた。林氏はお世辞半分で、「アメリカの脳神経外科は世界一です。それを学びに来ました」と答えた。相手は「そうか、よく来たな。しかし日本人はマネのうまい国民だ。アメリカのマネばかりしている。そんなにオリジナリティに乏しいのか」と満足げに微笑みながら話した。

林氏は、何か言い返そうとしたものの、言葉に詰まって結局何も言えなかった。その夜、悔しさと恥ずかしさで眠れず、気がつくと涙を流していた。「いつか絶対、きちんと反論してやろう」と決意をしたが、そもそもそれだけの語学力に乏しかった。

異国で現地の言葉がうまく話せない、聞き取れないということは、一種の恐怖であった。そして、周囲からは段々無視されるようになり、コミュニケーションがとれず孤立する一方となっていった。このとき、遅まきながら「苦手な英語をなんとかマスターしよう」と本気で思った。林氏はクラシック音楽を聴き、メロディをつくっている音の一つひとつを丁寧に聞き分ける方法で、リスニング力を飛躍的にアップさせた。

コミュニケーションがとれるようになった理由はもう一つあった。それはこれまでに培ってきた高い医療技術という林氏の持つ能力であった。林氏が動物実験などで能力を発揮し始めると、これまでバカにしていた人たちの態度が変わり始めた。「言っていることはよく理解できないが、腕はすごい」と感心して一目置かれるようになった。そうしてまずい英語にも熱心に耳を傾けてもらえるようになった。

腕がよければ話も通じる、自分の話をみんなが真剣に聞いてくれれば、自信になる。自信がつけば堂々と話すようになる。このことがさらにコミュニケーションを円滑にしていった。

林氏はアメリカへ医学留学していた2年の間に、医療技術を買われて、留学先のマイアミ大学で神経科学の研究センター設立のプロジェクトリーダー格として従事していた。

プロジェクトを牽引していくには強いリーダーシップが必要であった。しかも、医療においては先進国であるアメリカの医者たちをスタッフとして“医療後進国”から来た日本人が束ねていかなければならない。

この時林氏のリーダーシップの核となったのは、指導者自らが「結果を見せる」ということであった。林氏自身が優れた医療テクニックを発揮し、強い意欲をアピールすることで、他のスタッフを引っ張っていった。

スタッフの来る3時間前の早朝の5時に病院に出勤して、ラットを使った実験手術を繰り返し行った。そしてスタッフがやって来たらその成果を見せ、メンバー各自へその日一日の達成目標を示した。そして林氏自身は、ボスに実験の進捗状況や成果を報告する。

帰りは帰りで、午後5時にはみんな帰宅してしまうのが習慣であったが、林氏の研究室だけは7時まで残って研究を続けていた。林氏自身は研究データをまとめるなどその仕事は深夜にまで及んでいた。

林氏は、率先垂範で先頭に立って人一倍仕事をこなし、プロジェクトを強い力で引っ張り、成果を挙げていった。こういったリーダーに対して、アメリカ人は称賛や協力を惜しまなかった。プロジェクトに参画するメンバーたちも、「あなたともっと仕事をしたい、自分の力を伸ばしたい」と強い意欲や熱意を持つようになり、プロジェクトの遂行に対しても「その気」になった。

目標に向けて部下たちを強く動機づける力。組織のメンバーに仕事を好きにさせ、成果を生み出させる牽引力のようなものがリーダーには大切だと認識したのであった。

▶2度目のアメリカ留学と"救命"への開眼

当時（1970〜1980年代）、日本の救命医療の取り組みは、欧米諸国に比べて大きな後れをとっていた。交通事故の増加など社会情勢は変化しており、救命救急への取り組みに対する要請が日に日に増していた。そのような中、日本大学医学部附属板橋病院にも、1987年に救命センター設立準備委員会が設けられた。そのメンバーの一員として林氏は、脳神経外科から加わった。そして、翌年（1988年）の6月からアメリカの救急医学の調査のために、再び留学することになった。

ニューヨークのある救命救急センターを訪ね、その様子を見る中で、林氏は日本の救急医学に距離を感じ始めていた。何カ所かの救命救急センターを見学した後、7月になってかつての留学先のマイアミ大学を訪ねた。顔なじみの集中治療部長のシヴェッタ教授と再会し、自分の大学に救命センターをつくる計画を進めていることを話すと、教授から「日本は、救急医療は行っているが、救命医療は行っていない」と言われた。

林氏は、この言葉の意味がわからなかった。というのも、実のところ救急医療と救命医療の違いについて、正しい理解をしていなかったからであった。救命医療というのは、命に関わるような重症患者を扱うことだという程度の理解しかしていなかった。

シヴェッタ教授は続けた。「救命医療が本当に命を救うことを目的にしているのなら、現場で患者に一刻も早く薬を投与するなどの処置を開放すべきであるのに、日本はそういうことを救急隊員にやらせようとはしない。しかも、病院で、医師は臓器別の専門家となっている。命の危機に瀕している患者さんに対応するには、臓器単位の発想ではダメだ。全身の管理をする目を持っていなければならない。救命医療とはこういう意味なのだよ」と。

林氏は衝撃を受けた。「日本は本当に命を救うための救命医療を行っていない」とは、何ということだ。自分はもちろん他の医師たちも、患者を治すために日夜努力している。それなのに、「患者の命を救っていない」という。しかしよく考えてみれば、教授の指摘は的を射抜いていた。

言われてみれば、日本の医療はまさにそこに問題があった。知らないわけではなかったが、日本にいると、日々の現実の中で、「そういうものなのだ」と受け入れてしまい、根本から改革しようという発想をしなくなっていた。「日本の救命医療は、このままのスタイルでは、いくら頑張ったところで、世界には立てないだろう」そう気づいたとたんに、林氏の頭の中で、大転換が起こった。「これからの人生は、誰もやらなかった新しい救命医学をつくることに賭けよう」

林氏はアメリカの救急医療のチームの視察の中で、ミスに対して誰かの責任を追及するのではなく、救命のチャンスを逃さない道を探ろうとするひたむきな議論をしている様子を目の当たりにして、感動を覚えた。また、熱傷センターのスタッフルームに置かれていたコンピューターのモニター装置が強く印象に残った。それは患者さんに挿入したカテーテルやセンサーからオンラインでデータをとり、それをコンピューターで処理して、10項目ほどの指標にして、モニターで見ることができるようになっているものだった。林氏は直感的に、「これでいけるかもしれない」と思ったのであった。

▶日本大学医学部附属板橋病院救命救急センター｜部長時代

日本大学医学部附属板橋病院の救命救急センターは1991年11月に開所された。林氏がセンターの責任者となったのは、1994年のことであった。

赴任した当時には、「なぜ脳神経外科のアカデミックドクターの地位を捨てて、救命などという『学問のない現場』へ行くのか」と周囲からは不審がられていた。「あんなところへ行ったら、激務で殺されてしまいますよ」と真顔で忠告してくれる人もいた。その頃の林氏は体調の優れないところもあり、それはまんざら杞憂でもなかった。

しかし林氏は、「救命救急センターで70歳まで頑張ろう」と腹を据えた。ここで70歳になるまで人の倍仕事をしよう。そうすれば70歳で死んでも倍の140歳まで生きたことになる。そう考えて救命の仕事に全身を投げ込むことに決めていた。

救命救急センターを立ち上げた当時、林氏は「これは大変なところへ来てしまった」と思った。運ばれてくる患者さんのほとんどは救命が無理とされる瞳孔が開いた状態だったり、心肺停止の状態だったりで、助けられそうな患者さんは非常に少なかった。

救命救急センターは絶望的な場所であった。「今のままでは患者さんは皆助からない。このままではやっていけない……」

林教授はその時スタッフに向かって、次のように宣言した。

「これまでとはケタ違いにすごい医療をしよう。たとえ瞳孔が開いた患者さんであろうと、呼吸が停止した患者さんであろうと、一人残らず命をつなぎ止め、やがて必ず社会復帰させる。そんな最強の医療チームをつくろう」

むろん、言うは易しで、ケタ違いの医療を施せる救命救急チームをつくるのは簡単なことではなく、誰が考えても医学の常識を無視した目標だった。なにせ瞳孔が開き、心臓が止まった患者さんを蘇生させるだけではなく、やがて通常の生活に戻そうというのだから……。

▶構成メンバーの「仲間意識」を高める

とりわけ目標達成のために強く意識したのは、スタッフの「心」の問題、つまりメンバーの「仲間意識」を高めることであった。そして、チームワークを強化すると同時に、メンバー個々の能力も最大限に発揮できる組織づくりを目指していった。

人間の持つ本能の中に、「仲間になりたい」というものがある。これは自分の生まれた国を理屈抜きで好きになったり、身内の人間を自然に大切にしたりする感情をあらかじめ備えているという意味である。

つまり、それは自分の所属する集団を好きになり、その仲間になりたい、あるいは仲間や集団のために自分の力を尽くしたいという気持ちであり、人間にとって極めて自然なものであった。

そこで林氏は、この本能を活用して、仲間になりたい、仲間のために尽くしたいという個人の意識をさらに高め、強化していった。そうしてメンバー一人ひとりが持てる能力を最大限に発揮させ、チームとしてのパフォーマンスを最大にするという組織づくりを心がけていった。

あるとき、救命救急センターで事務を担当していたメンバーから「先生、患者さんの命がかかった医療現場で、机に向かって事務をとっていることがなんだか心苦しいし、つまらないような気もします」と悩みを打ち明けられたことがあった。

林氏は、

「事務の仕事がなければ、現場は1ミリだって機能しない。私たちは日本一の事務スタッフと仕事をしていると思っている。例えばその笑顔。あなたにすばらしい笑顔がある。それだけでも誇っていいいことだと思う」と答えた。

この後事務スタッフの空気は見違えるように明るくなり、モチベーションも上がった。

さらに、明るく前向きに仕事に取り組むこと、仲間の悪口を言わないこと、コミュニケーション力や「面倒見のよさ」を発揮すること、「難しい」とか「疲れた」といった否定語を使わないことなどをメンバーに周知徹底させた。

一見するとこれらは簡単なように見えるが、救命救急の現場で、「難しい」、「ダメかもしれない」などの否定語を使わないでいるのは、実に至難の業であった。

また、すばらしい仲間になるためには、自分自身を高めることも必要であった。救命救急センターで働く全員に自己改革を図るチェックシートを配り、このシートを使っていつも自分をチェックし、自分自身を高めるよう促した。

例えば、医師や看護師であれば、「出勤前に必ず、鏡の前で一度ニッコリと最高の笑顔をつくる」という項目があった。これはセンターのスタッフに課されていた習慣でもあった。一見単純なことであるが、やるかやらないのかで大きな差がつき、周囲に与える影響も大きく異なっていた。

朝起きたとき、人間はいつも上機嫌でいるとは限らない。無表情だったり、疲れきっている日もある。もし自己チェックシートがなければ、その無表情のまま、仲間や患者さんの前に立ってしまうという恐ろしいことになる。

このように具体的に課題を設定していくことで、1カ月経たずして救命救急センターのメンバーたちは見違えるように変化していった。

▶失敗は許されないが、その失敗をカバーしあえないのはもっと許されない

林氏が救命救急センターを運営していたとき、「失敗は許されないが、

その失敗をカバーしあえないのはもっと許されない」というモットーがあった。失敗はしてはいけないし、失敗しないよう努める姿勢も救命救急センターで働くものなら誰でも持っていなければならなかった。しかし、人間である以上、失敗は避けられないし、その可能性は誰にも存在している。

そうであるならば、何より大切なことは、失敗を起こすまいとする努力以上に、失敗が起きたときに、その影響をできるだけ軽微に済ませることであった。したがって、それが組織に起きた失敗なら、その責任は特定の個人に負わせるのではなく組織のみんなで分担されなくてはならない。

当然、失敗がそれ以上大きくならないよう努める責任もみんなに平等にある。もし失敗が放置されたら、責められるべきは失敗した人間でなく、それを放置した人たちなのである。

それは連帯責任などという仰々しい問題ではなかった。家の火事には家族全員に消火責任があるという、ごくシンプルな考え方であった。ボヤが発生したら、それが火事にまで広がる前にとにかくみんなで水をかけよう、気がついた人が真っ先に消火にあたろうと。

それができない人は火事を起こした人よりも責任が重い。失敗やミスよりも、同僚や仲間のミスをカバーできないことのほうが恥ずべきことであった。

林氏はこのような考え方で救命救急センターという組織を運営していた。また組織のメンバーに対してもそうであるように要求した。したがって、この救命救急センターでは誰かがミスをしても、すぐにそれを別の誰かがカバーやフォローして小さなミスが大きな失敗に広がるのを未然に防ぐことが徹底されていた。

アメリカから見学に来ていた医師たちは、そうした連携プレーにひどく感心して、「アメリカの病院では考えられない。アメリカだったらまず、なぜ失敗したのか、誰がいけなかったのかなどと分析や犯人探しが始まるはずだ」と述べていたほどであった。

▶目的と目標を取り違えない

「病気はウソをつかない。間違えるのはいつも医者のほうだ」 これは林氏が、若いドクターによく言う言葉だった。これまでの経験や技術論など目の前のことにとらわれて大きな目的を見失ってはいけない、目的と目標を混同して、その主従関係や優先順位を取り違えてはいけないという教えである。

医療の場における最大の目的は、「患者さんの命を救うこと、その病気を治すこと」にあるのは疑いようのないことである。そのために持てる技量をすべて注入することが当面の目標であり、それは医師としての義務であり責任でもある。

例えば、林氏がケタ違いの医療をして、瞳孔拡大や心肺停止の患者さんでも後遺症なしで社会復帰させようと宣言したとき、周囲の反応はかんばしいものではなかった。毎朝の会議においても、「林先生、そんな夢みたいな話をしないでください」といった反応が大半を占めていた。そこで林氏は、「夢みたいなというのなら、その理由を挙げてください」と反論した。

「だいいち、前例や治療実績がありません」

「世界でも初めてのことをやろうというのだから、前例がないのは当たり前です。できないという医学的な理由を挙げてください」

「瞳孔が拡大しているということは、脳幹細胞が死んでいることを意味するから、たとえ生命を維持できても植物状態は免れないはずです」

確かに、それは医学的に正当な意見だった。しかし、瞳孔拡大という現象はその他に脳幹の細胞膜の機能消失からも起こりうることで、もし彼が言う通り脳幹細胞が完全に死んでいるのであれば、患者さんを後遺症なしで復帰させることは不可能であるが、細胞膜の機能消失で留まっているのであれば、その可能性はまだ残っているはずだ。

「脳幹細胞の死なのか、細胞膜の機能消失なのか、区別がついているのですか」

「たとえ細胞を取り出して検査しても、それを区別できる測定法がありません」
「それなら無理だとは言えないのでは?　少しでも可能性のある治療から始めてみましょう」

こういうことまでして、初めて目的達成までのプロセスが動き出す。何ができて何ができないのか。すべきこと、すべきでないこと。それらを一つひとつ見極めて、できることから順次解決していった。

また、この救命救急のチームでは、「目標を簡単に変えない」ということが徹底されていた。目標は全員で討議し、林氏の一存で決めないのはもちろんのこと、途中でもっと良さそうなアイデアが浮かんだとしても、まず決めた目標を達成することに強くこだわっていた。

もちろん、新しいアイデアについて調べたり、良い部分を取り入れたりすること、時には目標自体を置き直すこともあった。しかし、そういったときには、必ずもう一度チーム全員で討議し、目標を決め直していた。

これらはチーム全員が目標に対して、迷うことなく全力投球するために必要だと林氏は考えていたのであった。

▶専門分野の壁を越えたチーム組織編制

この組織には、従来の医者と看護師の協力体制に加えて、臨床工学技士と臨床薬剤師も参加していた。そしてそれぞれの知識と技量を結集する四群一体の仕組みをつくり上げていった。

毎朝行われるカンファレンス（会議）には専門分野の壁を越えて全員が参加した。問題点を徹底的に討議、検証してあらゆる情報を共有させた。一つのテーマについてまったく別のさまざまな視点から検討することができ、ミスや不足部分も相互にカバーしあえるようにし、文字通りの「統合救急医学」を実現していった。

また、アメリカの海兵隊方式にならって、若手2人と中堅リーダー1人の

3人一組で一個のチームをつくるようにしていた。その中で若手がミスをした場合、叱られるのはリーダー格の中堅であった。質問に答えられないと本人を叱るのではなく、それを教えていなかった指導医に問うという方法をとっていた。

自分がわからないと先輩が叱られる。これは本人にとっては自分が叱られるよりもつらいことであったはずである。しかし、これが「教育」となる。過去のデータを一覧できる集中管理モニターの前で3人が熱心に議論していたり、カンファレンス（会議）に備えて朝6時から発表の練習などをしている光景が当時、センターのあちこちで見られた。

▶患者さんのベッドサイドデータの共有化が医療を変えた

自分がもし患者の家族なら、この救命救急センターで一番優秀な先生や看護師に診てほしい。怪我がいくつもの分野、例えば頭やお腹、肺に及んでいる場合には、その分野で一番よくできる先生に診てほしいと考えるのが当然である。林氏は、それにどう応えるかという課題を医療チームに出していた。

しかし、なかなかその答えを出すことはできなかった。

最終的には、当時においては画期的だったLANシステムの構築によって、医療スタッフが、患者さんのベッドサイドデータをリアルタイムで医師室や看護室から24時間いつでも画面で見られるようにし、新しい集中管理法と今までにない診療体制をつくるに至った。

これによって情報の共有化は飛躍的に高まった。その結果、現在の患者さんの状態がどうなっているか、過去の検査データはどうか、といったことなどが自分の部屋や会議室からでも逐一モニタリングできるようになり、指導医も担当医や看護師などの報告を待つことなく自分で確認することが可能となった。そうして、指導医が直接患者さんの治療に加わることができるようになった。

主治医よりも林氏のほうが先に患者さんの血圧の変化などを把握できるよ

うになったわけである。「先生、血圧が下がりました」「もう15分前から下がっているぞ。何を見ているんだ」といったやりとりが行われるようになった。このことは、多くの患者さんを救うことになった。

したがって、これまでは通用していたかもしれないあいまいな報告などもいっさい通用しなくなった。これは現場の医師にとっては緊張感を強いられる“恐怖のシステム”であったのかもしれない。

また、情報を共有化するため、どんな問題に関しても「全員協議、全員当事者」が原則であった。何か問題があったら、それが夜中だろうと早朝であろうと、スタッフ全員が集合して解決策や対策を検討することをルールにしていた。非番で寝ている人も例外ではなく、眠い目をこすりながら駆けつけてくるのであった。

こうしてベテランも若手も関係なく、全員で徹底的に議論して問題点を洗い出し、打つべき手を明確にしていく。失敗やミスがあった場合にも、当事者だけを呼んで注意したり、叱ることはなかった。必ず全員の前で、何がいけなかったか、どうすれば防げるか、他の人がどうカバーすればいいのかといった点を全員で討議し、人から言われるのではなくメンバーおのおのが自覚できるようにしていった。

失敗まで含めて、全員が同じ問題を共有し、同じことで悩む、そのための議論、討論は極めて厳しいもので、毎朝“医学的バトル”から一日が始まる診療体制がとられていた。

▶林成之氏のリーダーシップ

林氏は、救命救急センターのリーダーとして随分心がけたことがあった。それは、自分の欠点や間違いを素直に認め、仲間の失敗を責めるよりはそれをカバーしあい、互いの長所をほめる、そういう組織の風土づくりに自ら率先して努めるということであった。

つまり、頭が良くて、熱意があって、決断が速いということだけではなく、自己中心的ではない、自分の欠点を言えて、自分の間違いを認める、そして改める力を兼ね備えた人間としての強さ・大きさを自らが発揮し続けることであった。

林氏自身もリーダーの地位に安穏としていたわけではなかった。週末以外はたいてい病院に寝泊りしていたし、緊急手術を何件かこなした後でも、時間のあるときは夜中の3時ぐらいまで勉強をしていた。

毎朝のカンファレンス（会議）での議論も、林氏は「自分対全員」のバトルだと考えていた。「どのような問題においても常に全員を説得できなければ、リーダーとして失格だ」と緊張感を持って常に職務を遂行していた。

そこまで自分にも他人にも厳しくしたのは、このセンターが目指したのが普通の医療ではなかったからであった。それは単に患者さんの生命をつなぎとめるのではなく、脳に障害を残さず社会復帰させる「ケタ違いの医療」という、飛び抜けて高い頂を目指していたことに他ならなかった。

▶脳低温療法の開発

このような組織から生まれた成果は大きく、多くの新しい知識を得るとともに、いくつかの画期的な治療法を開発することができた。

世界で最初に編み出した「脳低温療法」（脳の温度を低く保つことによって損傷した脳を回復させる新しい脳蘇生治療法）は、その大きな成果の一つであった。

また、治療や研究を重ねていく過程で、否定思考は脳の働きを減殺してしまうこと、脳は一貫性や左右対称を好むことなど、脳の持つさまざまな特性が明らかになってきた。

さらに、新しい考えや創造的な発想、高度な集中力や判断力のもとになる脳の仕組みが解明されるなど、目標達成のための脳の可能性についても多くのことを知るに至った。

▶最強の救命救急チーム

林氏をリーダーとする救命救急チームは不可能を可能にすることに成功した。運びこまれてきた重症の患者さんを治して、後遺症なしで退院させる。その目標を4割という高水準で達成することができた。

また、命のかかった厳しい環境の中で医療事故や訴訟が在任期間の11年間（1994〜2004年）で一例もなかった。

この数字は救急患者の治癒率としては飛び抜けて高いもので、欧米からもたくさんの医療関係者が見学に訪れ、このチームのノウハウを学んでいった。

林氏は、共有の仕組みをつくって組織の活動力を高めていったが、決して「仲良しクラブ」をつくるためではなかった。仲間意識を高める、失敗をカバーしあう、叱るよりもほめる。そうして組織力を向上させる努力はしたが、それが互いのもたれあいや甘えにつながるような依存的な組織になることを厳しく禁じていた。

「笑顔を浮かべろ」、「顔がこわばっていたら、マッサージしてでも笑顔をつくれ」とよくスタッフを励ました。救命救急の仕事は顔がこわばるようなことの連続である。だからこそ、それに携わる人は努力して笑顔の見える前向き姿勢を引き出せる環境をつくらなくてはならない。

悲壮感を持たず、肩の力を入れ過ぎない、それでいてすごい技術を発揮し、ケタ違いの医療を実現していく。

「笑顔を大切に、すごいことをやろう」 これが林氏の密かなモットーであり、そのことが可能になれば、互いに切磋琢磨しながら失敗をカバーしあえる、“強くやさしい”組織が出来上がり、おのずとケタ違いの医療も実現できる。救命救急センターにおける林氏の組織づくりの最終目標はここにあった。

注

このケースは、著者の承諾を得て原ケースを短縮したものである。原ケースは、以下に示す文献をもとに慶應義塾大学大学院経営管理研究科教授髙木晴夫の指導の下、同修士課程M25期生丹徹也が編集して作成した。©2010 髙木晴夫・丹徹也。

参考文献

林成之 『思考の解体新書　独創的創造力発生のメカニズムを解く』産経新聞出版、2008年
林成之 『望みをかなえる脳』サンマーク出版、2009年
林成之 『体感!思考力の鍛え方　仕事に負けない<勝負脳>』JIPM　ソリューション、2010年
林成之 『能力開発マップのススメ　凄い才能を自分で創る』日本放送出版協会、2009年
林成之 『<勝負脳>の鍛え方』講談社、2006年
林成之 『ビジネス<勝負脳>　脳科学が教えるリーダーの法則』KKベストセラーズ、2009年
林成之 『脳に悪い7つの習慣』幻冬舎、2009年
日本大学医学部附属板橋病院ホームページ
日本大学ホームページ
YouTube　命を守る人びと（日本大学医学部附属板橋病院救命救急センター）
柳田邦男『脳治療革命の朝』文春文庫、2002年

DISCUSSION

*発言者はA、B、C…と示してあるが、常に同一の人物ではない。別人物であっても便宜上そのように表記している。

髙木｜1つ目のケースは、すごい名前がついていますね。「"すごい"医療チームをつくる」。林先生はとても著名な方です。私より10歳ぐらい上の先生なので、今はご高齢かと思いますが、当時、救命救急医療の革命を起こした先生としてご著書もたくさんあります。YouTubeの動画も残っています。これは、直接お目にかかってヒアリングさせていただいたのではなく、すべて外部情報で作ったケースですが、これまでのご著書の中に結構リアルなことが書かれていたので、それを使用しています。

授業のテーマは「ハイパフォーマンスへ向かうリーダーシップ」としてありますが、人数的にはそんなに大きくないチームで、なおかつプロフェッショナルなチームです。医者、看護師、医療技術者など、プロフェッショナルな方がチームを組むわけです。

▶専門職者と職人の違いとは

髙木｜まずウォーミングアップとして、「専門職者」と「職人」の違いについて、話題にしておこうと思います。我々はビジネススクールで、専門職、専門家、あるいは専門職者という言葉を使うと同時に、職人という言葉も使います。職人という言葉は、美術工芸品を作る方や大工さんに対しても使われるし、ウェブデザインやプログラミング職に当たる方をそう呼んだりもします。一方で、お医者さんの中にも、ご自身のことを「職人です」という方もいらっしゃいます。実際、私を診てくださっている歯医者さんは「私は職人ですから」と言って、すごい技術で歯を治してくれて大変助かっているんです。ここにインプラントを入れていただいたことがあるんですが、その外科手術のときも、ご本人は「これは職人の仕事です」とおっしゃっていました。

そもそも医者は専門職者、プロフェッショナルだと思います。その一方で、職人的な部分はたくさんありますので、くっきり分かれるものではないかもしれませんが、「専門職者、プロフェッショナル」と「職人」を、概念上どのように分けるべきか、ということをやっておきたいのです。なぜなら、お医者さん方が、特に救命救急の場面でチームを組むときに、どのようなメンタリティーを持っているかということを共有しておく必要があるからです。専門職者としてのメンタリティーか、職人としてのメンタリティーか、ということです。

専門職者を英語で言うとprofessionalになります。職人はcraftsman、あるいはちょっと古い言葉だけどもskilled workerといったりします。みなさんはこの2つの違いについて、どのように考えていますか?

A｜両方ともある種の領域に対して熟達しているイメージがあります。専門職者のほうは「情報として整理されたもの」を学んで熟達したイメージがあります。

髙木｜学んで熟達したということですね。職人のほうは?

A｜職人も熟達しているのですが、どちらかというと継承というか、体で覚えた、体得したイメージがあります。

髙木｜なるほど。職人のほうは「体で身につけた、体得した」ということですね。一方で専門職者の「整理された情報」というのは、どちらかというと教科書が存在するというイメージですか?

A｜そうですね。教科書とかマニュアルとか。

髙木｜教科書やマニュアル。職人の世界はそれよりも、師匠や親方の様子を見て盗んで、みたいな世界だということですね。

B｜専門職者のほうは、国家資格とか国家検定とか何か認定されたものを取得して就いている職業です。職人はそういったものがなく、Aさんの話に近いのですが、手に職をつけて仕事をしています。

髙木｜手に職をつけたときに、専門職者のほうはそれを国家が保証、もしくは認定をする。職人のほうはそういうのはないということ?

B｜はい。

高木｜もうちょっと言葉が欲しいかな。

C｜職人なり専門職者の人が所属する組織のストラクチャーが違うなというふうに思ったのがまず一つです。あと、職人は「個」で完結できる場合がある。一方、どちらかというと専門職者は周りの人を巻き込みながら物事を動かしていくというイメージがあります。

高木｜専門職者のほうが、組織で動く場面が多いということですか？

C｜関わる人数が多いような気がします。

高木｜そういうことか。関わる人は多いでしょうね。職人は「一人仕事」ということでいいでしょうか。

C｜そうですね。一人でできることのほうが多いように思います。お医者さんは別ですが。

D｜「量」という観点で考えると、専門職者は大量生産可能で、職人のほうは非日常のテーラーメイドではないでしょうか。

高木｜職人はテーラーメイドで1個ずつ作る。2個目を作ってうまくいかなかったら、それを捨ててもう1個新たに作るというイメージですかね。

E｜専門職の場合は、他の人が再現できる。再現性があるんですが、職人というのはその人個人にしか再現できない。

高木｜職人の仕事は、その人のものですね。すごく属人的なもの。

F｜私は以前エアラインに勤めていたことがありますが、パイロットの中には、職人と専門職者的な人と両方いました。コンピューター制御の度合いが低い飛行機、昔のボーイングとかが好きな人は、職人気質でした。「いや、俺はあの飛行機じゃないとだめなんだ」などと言っていましたね。一方、エアバスが好きな人は専門職気質の人でした。エアバスはコンピューターが計算してルートを取っていきますから。自分で操縦している感がよりあるのは、昔のボーイングなどコンピューター制御が薄い飛行機だったんです。だから「自分はエアバスにいくんだったらパイロットをやめる」と言っていた人もいました。

高木｜今、飛行機のことを言ってくださったので、すごく古い記憶がよみがえりました。私、ある研究で飛行機のコックピットに乗せてもらったことがあったんですね。40年くらい前かな。羽田から岩国に行って、向こうにいた機体に乗り換えて羽田に戻って来たんですが、行きの飛行機が古典的な飛行機で。尾翼の角度をコックピットの中でガリガリって動かして向きを変えるんですよ。角度の計算をフライトエンジニアが電卓で一生懸命していて（笑）。

一同｜（笑）

髙木｜何度にするか、手で計算するんですよ。そういう現場を見せていただいた。帰りの飛行機は近代的なもので、ボタンで数字を入れると寸分違わずそれで飛んでくれる。ただ、「数字を打ち間違えると、1センチの誤差で向こうから来たのとぶつかります」って、怖いことを言っていました。やはり面白いのは、古典的な飛行機の操縦だと機長は言っていましたね。

髙木｜専門職者の中に医師が入ります。看護師も専門職者に入ります。彼らが持っている気持ちの支え、自信みたいなものは、国家資格であったり、自分たちが専門とするものの価値であったりします。彼らには「人の命を預かるんだ」という価値観があります。「専門職大学院」という言葉があります。我々のことですね。英語で書くと、professional schoolです。これは専門職者をつくるスクールです。3種類あって、1つはmedical school。医者を養成します。もう1つはlaw school。これは弁護士ですね。それで、3つ目がbusiness school。これに我々が含まれる。

medicalもlawも、みんな自分たちの専門資格がどういうものかがわかっていて、それを刷り込むのが大学院のプログラムです。専門職者が集まってチームをつくったときにどこを目指すのか。そこで発揮されるリーダーシップとは、どのようなものなのか。

今回はmedicalの話ですが、ちょっと形を変えると、MBAを持っている人たちがチームをつくったときにも同じ構造になるかもしれません。これについてはクラスのディスカッションの終わりの頃に話題を振ろうかなと思っています。

▶「強いリーダーシップ」と「仲間意識リーダーシップ」

髙木｜ビジネススクールのケースとしては、この救命救急チームのケースは、かなり珍しい種類のものだと思います。ですからこのケース、実は何年間も使っていなかったんです。「私が使う領域ではなくて、お医者様の学校で使うケースなんだろうな」という思いがどこかにあったので。

ところがあるとき、大手銀行にいる私の卒業生から連絡がきて、「支店長研修で使ってほしい」と言うんです。「支店長のリーダーシップやマネジメント、店舗管理における重要事項が、このケースの中にはいくつもある」と。そこで、その銀行の人事の教育チームには全員、このケースを読んでもらいました。そして実際にケースメソッドで支店長研修をしました。合計二百何十店から支店長が集まり、東京、名古屋、大阪の3カ所に分かれて、このケースを使って議論をしました。それが今からもう15年以上前なんですよ。

その時代の支店経営においては、今でいう非正規の方がすごく増えたため、多様な雇用形態の方が支店の中に何十人といて、それを支店長がどうマネジメントするのかというのが一つの課題でした。それから「お客様第一主義」がうんと言われるようになってきて、顧客対応にも非常に多様性が必要とされていました。その中でこのケースが、支店長がとるリーダーシップの参考になるという話でした。それ以降、私も積極的にMBAのプログラムでこのケースを使うようになりました。「医者ではないマネジャーたちが、このケースをどう議論するか」という経験をそのとき初めてして、それが非常に意味深かったからです。

この林成之先生のリーダーシップについて、いくつか議論していくことにしましょう。設問には「強いリーダーシップ」という言葉と、「仲間意識リーダーシップ」という言葉が出てくるので、そこから入るのがいいかな、と思っています。

林先生自身、若かった頃にアメリカで強いリーダーシップをとりました。帰国されて、何年かかかって救命センターを立ち上げたときに、それが仲間意識リーダーシップに変わっていた。年数的にはけっこう間があります。この違いから入っていきましょう。

最初はこの2つのリーダーシップの違いを議論していきます。この違いを林先生は意識しているようですが、じゃあみなさん、どうして林先生は仲間意識リーダーシップを重視するようになったんだろうか?

A｜参加する組織のメンバーの性質があると思います。私は国民性の違いを考えてみました。林先生が強いリーダーシップをとったアメリカにおいては、タスクが重要になります。

「より良い業務を行う」というタスクに、メンバーが注目していると思うんです。「私は能力がある、だからついてこい」というリーダーシップが通用しやすいのが、アメリカだと思います。それに対して日本では、メンバーシップ型のリーダーシップが重視されると私は考えています。「和をもって尊しとなす」という文化です。組織に入ってくるメンバーが、何をもって良いと考え、そしてリーダーのどんな部分に納得をするのか、そういう要素もあるのではないかと考えました。

髙木｜「日本では何が良いとされるか」ですね。アメリカの強いリーダーシップのほうでは、タスクに注目が集まるというのが先にあるね。

B｜強いリーダーシップは、感覚的にはリーダー一人がすごく大きな磁石というか、ひきつける磁力を持っている状態です。仲間意識リーダーシップでは、リーダーは真ん中に入りますが、その周りにいる仲間たちも、それぞれがひきつけ合っている状態です。

髙木｜ちょっと絵を描きますね。メンバーがひきつけ合うわけですね。

B｜仮にその一つのピースが抜けても、多分また違う磁力どうしを見つけ合って補完し合えるんだろうと思います。

髙木｜一人抜けても補完します。強いリーダーシップでは、基本的にこのリーダーがいなかったらだめなので、絵は多分こういう感じだと思います。

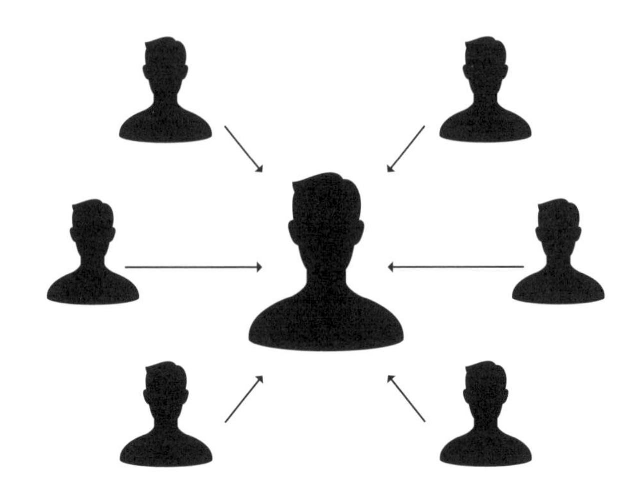

C｜林先生はアメリカへ行ったときに、言葉が大してできなくても、脳外科としての技術があればリスペクトされるという自信があったと思うんです。自分の医療の腕があれば通用する、と。しかし、日本に帰ってきて、「チーム医療の不足」を実感したのではないかと思います。それぞれの専門領域の医療の技術は、日本もだいぶアメリカに追いついてきているけれども、救急救命の成績はすごく悪かった。そこに必要なのがチーム医療であることに気づかれたのかな、と考えました。

高木｜ここで気づいたのが「チーム医療が日本に必要」ということですね。医学部のカリキュラムの中で、一時期までチーム医療っていう言葉はなかった。「医者はチーム医療が下手です」という話はよく聞きます。自分の専門領域に非常に特化しているからです。さっき話をしたように医師は専門職者です。しかし、医者ってチーム医療が実はすごく大事なんですよ。

D｜仲間意識リーダーシップのほうは、僕は『ONE PIECE』のルフィのパターンだと思うんですよね。

高木｜そうなんですか？　読んでないからわからないけど（笑）。

一同｜（笑）

D｜結局一人で全部できるわけではないので、誰かに助けてもらわなければならない。そうすると役割分担というのができてきます。その周りの人たちがどうしてひきつけられるかというと、その人を助けたい、貢献したいという「他者貢献」の思いが出てくるからじゃないでしょうか。

髙木｜リーダーが全部一人ではできないから。

D｜できないということをまずはリーダーが認識して、それをみんなに伝えることで、他の人たちはそのリーダーを助けてあげたいという気持ちになる。それができるのがルフィなので。

E｜強いリーダーシップのほうだと、いわゆる結果で人を惹きつけている。それが仲間意識リーダーシップのほうは、その前のプロセスのところにみんなをコミットさせていく。どんどん関わらせて、プロセスに惹きつけていく。言い方が悪いのかもしれませんが、部品として組み込んでいくことで、チーム全体を強くしていったのかな、という気がしました。

F｜アメリカ時代の強いリーダーシップの例でいくと、どちらかというと職人のほうに近い。つまり、自分がやってみせることによって、人を惹きつけている。あまり英語はできなかったということですので、言語による知識の共有よりも、実践することでリーダーシップを発揮したわけです。

仲間意識リーダーシップのほうでは、自分の専門領域以外のことも扱わなければならないので、なるべく言語によって知識を共有しています。それができていないと、叱られる場面もあった。そのような中で、仲間意識も生まれてきています。

髙木｜ここには「共鳴」と書きましたが、言葉による共有ですね。

G｜仲間意識リーダーシップでは、情報を共有することで、受付スタッフから患者さんの情報が看護師や医師に行ったり、反対に医師からの情報が周囲に伝わったり、双方向で情報が行き交うのが特徴です。そうすると、思ってもいないことが先生に伝わるなど、相乗効果を生み出すことができたのかな、と思いました。

髙木｜相乗効果というのはシナジー効果のことだと思います。その鍵は、言葉、知識、共有、共鳴といったことですよね。

H｜強いリーダーシップというのは、タテ方向に「強い」のだと思います。個々人のタスクやミッションが決まっており、それに人が紐づいている。そのためトップダウンのほうが、意図を伝えやすいし、コミュニケーションもとりやすくなります。

仲間意識リーダーシップに関しては、逆にヨコの連携となっています。つまり、個々人が自立的に物事を考えて働いている中でのリーダーシップではないかと考えました。

高木｜ヨコの連携におけるリーダーシップだね。

I｜強いリーダーシップのほうはやるべきことが明確な場合に有効だと思います。例えば軍隊では、「戦争に勝つ」という明確な目標があるので、トップがぐいぐい引っ張っていく形の強いリーダーシップが適していると思います。仲間意識リーダーシップはどちらかというと、イノベーションの場面に適しているのかもしれません。このケースでは、「これまでとは桁違いに、すごい医療をしよう」ということを言っています。今までにないものを生み出すときには、リーダーだけではなくて全メンバーの能力をフルに発揮して、アイデアの生まれる確率を最大限に高めなければなりません。そのため、仲間意識リーダーシップが適していると感じて、林先生はそれを選択したのではないでしょうか。

J｜それに続けて言いますと、やはり強力なビジョンがないと、仲間意識を集めることができません。

高木｜仲間意識リーダーシップのほうですね。

J｜はい。桁違いの医療をするとか、そのための制度を構築すること、そういったことまで全部設計していかなきゃいけないということがリーダーに課せられるんじゃないかなと。

高木｜強力なビジョン。制度もつくる？

J｜はい。医療体制とかですね。

高木｜強いリーダーシップにビジョンという言葉はあまり当てはまらないということだね？　それはどうしてだろう？

K｜アメリカにいたときは脳外科という特定の領域なので、共有しているバックボーンがみんな一緒で、ビジョンがなくても同じ方向を向いていられるのだと思います。暗黙のうちにビジョンが共有されている感じですね。

髙木｜単一領域なので共有ビジョンはいらないということかな。しかし日本に帰国してからは救急医療なので、いろいろな領域が出てくるということだね。
K｜そうですね。救急医療は学際的というか、異質なものどうしの集まりなので、それを束ねる概念が必要だと思いました。
髙木｜それを束ねるのが、仲間意識リーダーシップだね。
L｜今のご意見につけ足しというか、強力なビジョンを実際に体現していくにあたって一番大切なのは、体験まで一緒に共有していくことだと思います。
髙木｜体験を共有する。
L｜一緒にチームをつくって、毎日議論してという体験の中で、「数値には落とせないもの」が組織の中にできてくる。それが、チームワークや成長という形になって表れていくのではないのでしょうか。

M｜時間軸で考えたときに、強いリーダーシップはおそらく即効性があると思います。短い時間で早くアウトプットが出せるというアドバンテージがあります。一方、仲間意識リーダーシップのほうは、変数要素が非常に多いので、考え方を合わせていくことだけをとってみてもすごく時間がかかる。その代わり、ある程度スクラムが組めてくると持続性が長いと思います。
髙木｜長く効果が出せる気がするね。

▶仲間意識リーダーシップが成功した背景にある要因とは

髙木｜強いリーダーシップを発揮されていた頃は、年齢からいうと、林先生がお若い時期でしたよね。仲間意識リーダーシップのほうは、帰国されてしばらくしてから採用した方法です。林成之先生の成長の過程を見る上で、年齢的な推移というのももちろんあるので、それも勘定に入れつつ、ここで設問の2番目を考えてみましょう。

救命救急センターを設置するときに、仲間意識リーダーシップという方法を採用しているわけですよ。林先生は日本では強いリーダーシップをとっていないので、日本における両方の比較はできません。しかし10年間、仲間意識リーダーシップを用いて非常に良い成績をあげていますから、みなさんにはその成功の環境要因や国の違いなどといったファクターまで入れて意見をもらいたい。これから救急医療が伸びていく、そんな時代にあって、林先生のやり方が功を奏したのは、どのような条件が背後にあったからだろうか?

A｜病院の組織が、日本では担当で分かれていますが、それが救命救急ということになると、一人ひとりがやれることを、みんなで情報を共有しながら解決していくというスタイルに変更する必要があったのではないかと思います。

髙木｜「統合」と書いてしまっていいですか。

A｜はい。

髙木｜そしてこちらは「臓器別」と書きます。

A｜それで、おそらく電子カルテなどが出てきた時代だという背景もあって、コンピューターを活用して情報共有が一挙になされるようになっていきました。

髙木｜そうですね。

A｜命を救うためにどんなふうに情報共有していくか。みんなですべてのリソースを使って、一つの目的を達成するという形になっていったのだと思います。

髙木｜病院はだいたい、臓器別になっています。総合内科などが出てきたのは最近のことです。救急救命が総合なのは間違いないですね。

B｜林さんは「感情面に配慮する必要がある」と感じたのではないでしょうか。看護師なども含めて。そういう意味で、仲間意識リーダーシップを用いて不満を出させたり、「チームでやろう」と気持ちを一つにしたりして気持ちの問題を解決しつつ、スキルも上げるようにしていったのではないでしょうか。強力なビジョンを目指すためには、まず気持ち、感情の部分に配慮しなければならないとわかっていた。そうでなければスキルも最終的には身についてこないと考えて、仲間意識リーダーシップを始めたのではないかと思います。

髙木｜強いリーダーシップのほうには、「人の気持ち」に類する言葉がほとんど出てこないんですよ。強いリーダーシップを発揮する際に、リーダーは気持ちや感情に、あまり目を向けなくていいのだろうか？
C｜数字などの結果が重要になってくるので、感情は必要ないのかもしれません。
髙木｜感情でなく結果。嫌な世界だなっていうイメージですか、みなさん。
一同｜（笑）

髙木｜一方、仲間意識リーダーシップのほうでは「評価」という言葉はあまり使いません。評価というのはいわゆる成果主義的な言葉ですから、強いリーダーシップのほうでは給与や昇給に結びつきます。しかし、仲間意識リーダーシップのほうにはそういった言葉は出てきません。それなのに人々はまとまって同じ方向に進んでいくことができる。なぜだろう？
D｜アメリカでは、設定されたビジョンが本当に正しいかどうか、けちをつけることができると思うんです。一方で、板橋のほうでは、誰もそのビジョンを否定できません。「一人残らず退院させる」、つまり「人を生かす」ということに対して、否定は絶対できませんよね。皆がこのビジョンに向かっているので、評価が特になくてもいいのではないでしょうか。一方で、批判ができるようなビジョンしかない場合、そこに対するインセンティブや評価がないと、皆がそこへ向かっていくことが難しくなるのではないかと思うんです。
髙木｜「一人残らず生きて退院させる」。こういうビジョンを崇高なビジョンというのかな。
B｜強いリーダーシップのほうは、自分たち医者の立場が危うくなる可能性を秘めていると思います。例えば結果を出せなければ次の研究費を稼ぐことはできませんし、自分も首になるかもしれない。要は、リスクがある状態です。でも、仲間意識リーダーシップのほうには、ある意味リスクがない。自分の立場は守られています。患者さんが亡くなって当然、というところからのスタートですから、崇高なビジョン「一人残さず生きて退院させる」ことに挑戦できる。そんな挑戦できる環境があったことが違いではないかと思います。

髙木｜医師として挑戦できるわけですね。医師というのは、命を守るプロフェッショナルです。アメリカのほうは、どちらかというと山中伸弥先生のiPS細胞の研究所といったイメージに近いかもしれないですね。特定の目的に応じて研究資金がついていて、医学というよりは生化学のバイオの世界の研究ですよね。こういった研究って「いつ、どんな患者さんが来るかわからない」というような状態でやっているわけではありませんよね。

A｜「一人残さず生きて退院させる」ことを最優先でやるとすると、きっと仲間じゃないとやっていけないのではないかと思います。一刻一秒を争う中で、いがみ合っている人がいたりしたら、とてもじゃないけどやっていけない。人の命を助けようとしている中で、失敗を追及している時間もないですし、みんなが一枚岩になって臨まないといけませんよね。事務スタッフも含めて、総力戦じゃないとやれない。そういった意味でも、働く人の感情が非常に大切という気がします。

▶林氏のリーダーシップをビジネスの世界に置き換えて考える

髙木｜設問の3番にいきます。ここで出てきていることを、ビジネスの世界に置き換えられるものだろうか？　ビジネスの世界でも通用するような理論というのがあるなら、それはなんだろう。レベル差はあるかもしれないけど、「ミッションを全員で共有しないと一丸となれない」というのは、組織論の教科書にはすぐ出てきそうな話ですね。

一同｜（笑）

髙木｜「仲間の感情面にも配慮しましょう」ということだって、今、わりと言われることじゃないですか。そう考えていくと、林先生のやったことと、ビジネスをくっつけていくと、何かみなさんにとって「なるほど」となったり、「いや、違う」となったりすることがあると思います。それが実は、ビジネススクールでこのケースを使う意義があるかな、と思うところですね。

A｜私は数年前まで大企業に勤めていましたが、今は中小企業に勤めています。自分の経験から申しますと、強いリーダーシップが求められるのは、どちらかといえば中小企業だと思うんです。やはり中小企業のほうが求心力が必要ですし、メンバーの自己責任が必要とされます。大企業だと組織に関わる人数は多いのですが、リーダーがいなくても、持続的にシステムとしてチームなり部署が回っていきます。そんなふうにアメーバ的に組織ができていないと、会社として成り立っていかない部分がありますから。連帯責任の度合いが高いのが、大企業ですね。

高木｜中小企業のほうが自己責任の度合いが高くて、大企業のほうが連帯責任の度合いが高いということですか。

A｜今回のケースを読んでいても、何かあったときにフォローアップし合うというのも、ある意味連帯責任だからではないかと思いました。

高木｜連帯責任ですね。

B｜救急医療というのは人の生死に関わることなので、「助けたい」という内的動機づけが非常に強い。一般の企業はそこにプラスして、外的要因ということで、評価がくっついてくる。

高木｜くっついてきますね。

B｜ただ、内的動機づけが高い場合、外的動機づけ、いわゆる評価などを入れていくと、逆に内的動機づけが低下するという研究があります。板橋の成功要因は、外的動機づけをあまり入れなかったことではないかと思います。林さんがもしメンバーを評価したり、昇進させたりといった外的動機づけを用いていたら、うまくいかなかったかもしれません。そこが一般企業と違う部分だというふうに感じました。

C｜普通の会社も、エンジニア、営業、事務といった役割の人がいて、それぞれが機能して初めて製品なりサービスを提供できるという意味では、この緊急医療とも共通するところがあると思うんです。そこで、林さんのやり方で学びたいなと思ったのが、事務のスタッフに声をかけるシーンです。医師だから偉いと思うのではなく、それぞれの役割を持った人を対等に扱っている印象を受けました。内的動機づけという点にもつながると思いますが、医者の仕事より事務の仕事は下などと位置づけるのではなく、みんなが並列で、それが機能して初めて動くということを示しているところがすごいリーダーシップだと感じました。

高木｜あと一人、意見をもらおう。

D｜私は今、ある製品の開発のマネジャーをやっておりまして、すごく共感するところがあったんです。読みながらちょっと泣きそうになりました。本当にいいケースに当たったなと思います。開発の仕事でマネジャーになったときから部下に言い続けているのは、「笑顔で開発をするんだ」ということです。笑顔で開発できないものが、お客さんに渡って楽しいわけがない。だから、僕らはどんなにつらくても、笑顔で開発しようということをマネジャーになってから何年もずっと言い続けてきました。同じようなことが、この林さんのケースにも書かれていたんです。すごく刺さったのは「好きになる努力」という言葉で、これは大事だと感じました。自分がやってきたことって、あながち間違ってはなかったなと思えたところがありました。やはりこの開発の仕方を部下に伝えていきたいと思います。

一方で、我々がもっと学ばなくてはいけないと思ったのは、林さんはルールをすごくシンプルに設定しているところです。求めたものは何かというと、判断力です。現場の判断力ですね。すごくシンプルでした。仲間をカバーしなさい。ルールはこれだけだと思うんですよ。それをどうやってやるのかについては、徹底的にメンバーに対して判断を求めている。今、私たちの会社だと、どちらかというとルール、例えばコンプライアンスとかに縛られ過ぎて、判断するタイミングを実は与えていないんじゃないかという感じがしました。もうちょっと部下に判断を求めていく、そしてルールも簡素化していく、といったことができたらいいなと思いました。

高木｜だからルールが明確になればなるほど、強いリーダーシップの世界になりますね。

高木｜この林先生のケースは、動機づけのメカニズムの研究の中で生まれたものです。強いリーダーシップのときの動機づけの原理と、仲間意識リーダーシップのときの動機づけの原理というのはずいぶん違っています。もちろん、両方ありですよ。ただ、いろいろなことに対応しなければならない場面だと、創造性をかき立てるようなアプローチが必要になるんです。多様な業務や多様な出来事に対応していく部隊を率いるのであれば、仲間意識リーダーシップの動機づけは役に立ちますよね。

このケースは医療の世界のケースだけれど、ビジネスの世界でも通じるところがやはりあるね。チームをつくって目標に向かうとき、みんなはどちらのリーダーシップをとるか、考える価値があります。このケースでは2つのパターンのリーダーシップでしたが、どちらがベストというものではありません。どちらをとるかは状況によるのであって、みなさんがリーダーシップをとるとき、置かれている状況についてもしっかり考えないと、適切なリーダーシップはとれないんです。これをまとめの言葉にして、この授業を終わりましょう。

第2講 1日目午後 | 二世経営者 吉田英樹の苦闘

事前予習設問

1 | 入社から4年間にわたって行ってきた吉田氏の改革行動について、あなたはどのように評価しますか。

---

2 | その評価では、あなたはどのような評価の項目、評価の軸、評価の視点、評価の背景などを使いましたか。

---

3 | それらの項目、軸、視点、背景などを取り上げた理由は何ですか。

CASE

▶1 | インタビューにあたって

手渡された分厚くずっしりとしたカタログには扱い商品数1万3000点の医療機器アイテムが整然と並んでいた。1000ページ近いそのカタログの重みを感じつつ、2001年11月、ケースライターは吉田英樹氏に対してインタビューを行った。

今年30歳になった吉田氏は、大正8年創業以来、現在にいたるまで吉田家3代の経営が続いている老舗医療機器専門商社松吉医科器機株式会社（以下、松吉）の4代目にあたる、いわゆる二世経営者である。1997年に同社に入社し、現職の肩書は常務取締役である。松吉は、主に医療機器を2次卸問屋に卸す1次卸であり、社員数約100名、年商は約80億円である。

今春、急性胃潰瘍で入院し何があったのかと周囲を心配させた吉田氏は、松吉に入社して今年で4年目になる。企業の二世経営者として会社のリストラクチャリングに取り組み、奮闘しているという話を聞いたケースライターは、それが一体どういうものであったのかに関心を持ち、インタビューを申し込んだ。

以下、本ケースは吉田氏とのインタビューを編集・再現する形で展開する。

▶2 | 入社に到る経緯

ケースライター | まず、松吉に就職するまでの経緯を教えてください。

吉田 | 就職は外資系投資銀行を希望していたが、英語も得意ではなかったし残念ながら希望通りにはいかなかった。それで、いつか転職して投資

銀行に行こうと考え、為替ディーリングを本業としているA社に入社し、そこで2年間を過ごしたんだ。為替を追いかける仕事の性質上、朝は毎日6:30に出勤し、海外市況のレポートを作成、いつもあわただしく業務が始まった。そしてNYで重要な景気指標等が発表される日は、いつも決まって深夜過ぎまで残業。はじめはエキサイティングでとても面白みを感じたよ。取引の額を1本という単位で行うのだけど、1本っていくらだと思う?　100万ドルだよ。それが全部銀行との直通回線電話で行われていて、口頭だけで発注が来るんだけど、もし間違って書き留めたらどうしようってすごく緊張したのを覚えているね。

入社して2年目のとき、会社が3年目から自分をロンドン留学に派遣してくれるという話が出たんだ。迷ったんだけど、断った。もし、それで留学していたら誓約書と引き換えに、会社を辞められなくなる状況になってしまう。自分の中ではずっといる会社ではないと思っていたので、それを機会に退社して、思い切って自費でロンドンへ1年間留学することにしたんだ。

その頃日本の金融界は景気が悪くなってきていて、A社もその後、相当リストラをしたようだったので、結果的にタイミングもよかったようだ。また、当初は投資銀行へ行きたいと思っていたんだけれど、その頃から為替のディーリング・スキルに関するニーズ自体が業界で低下し始めていたことと、金融などのサービスではなく実業をやってみたいという思いが強まったことで、帰国後は松吉に入ろうと決めたんだ。

そして帰ってきてすぐ父の会社である松吉に入社した。どんな業務をしているのかくらいの知識はあったけど、実はそれ以外詳しいことはほとんど知らなかったね。

▶3｜営業部時代

ケースライター｜入社したときの印象を教えてください。

吉田｜とにかくびっくり。前いた会社とあまりにも違い過ぎた。営業部に配属されたんだけど、たった1台のパソコンもなかったんだよ。以前のディーリング・ルームでは1人3台のモニターを目の前にしていたのにね。それに文化も大違いだった。例えば、前の会社では仕事に出る前、1.5リットルのペットボトルの水を買って、机に置いて、ガブガブ飲みながら仕事をするのが普通だった。松吉に入ってからもそうしたんだけど、もうそれだけで噂話の対象。「ボンボンは外国のお水を飲む」って。ネクタイが前日と同じでも、やっぱり噂話の対象。「ボンボンが外泊した」って。それに青い作業着を着ながら仕事しなくちゃいけなかったし、自分にとって「いやぁ、まいった!」ってことの連続だったよ。周りにいる人は、高卒のお兄ちゃんか勤続数十年のおじいちゃんって感じでね。平均年齢は40歳くらいなのだけど、ミドルにあたる年齢の人はほとんどいなかった。

ケースライター｜仕事はどうでしたか。

吉田｜はじめに営業部でアシスタントを半年したんだ。松吉の営業部は当時20人いて、全国を10の営業エリアに分けていた。そして、1つのエリアを1営業担当者と1アシスタントで回していた。

営業マンは全国の自分の担当エリアで、カタログを持って回って注文を取ってくる。そして、それを本社にいるアシスタントに電話するんだ。電話を受けたアシスタントは在庫が倉庫にあるか電話を待たせて確認しに行って、在庫状況を報告する。そしてすぐに見積もりを作成してFAXし、自分で梱包、発送までする。分業は一切ないので、アシスタントとはいってもかなり忙しい。発送だけでも平均して1日80件に上る数があった。

お客から直接本社営業部に電話があることもしょっちゅうで、そのときは電話を受けたアシスタントが営業と連絡をとって、営業から改めて対応するようにしていた。だから自分の一番最初の仕事は電話帳作り。1500社の得意先の会社名と電話番号、1500社の発注先会社名と電話番号を書いた先輩のノートを1週間かけて手書きで写すんだ。手で書くことによって会社名を覚え、担当営業マンを識別できるようにしろということだった。周囲は熟練工の仕事のようだったよ。情報として共有されているものなどはなくて、詳しい会社情報は各営業マンと番頭にあたる取締役しか知らないという状況だった。

商品に関してもピンセットだけで100種類以上あって、それぞれお客さんによって呼び方もバラバラで、「カンシ」って言う人もいれば、型番で言う人もいるんだ。ナレッジ・マネジメントという発想なんてまるでない感じの現場だったね。

ケースライター｜何を感じましたか。

吉田｜とにかくやり方が原始的。無駄が多過ぎると思った。本社も倉庫も日本橋にある自社所有のものなのだけど、そもそもなんで東京の一等地に倉庫を構える必要があるのかということもあるよね。古い会社だからコストの意識すら薄くなってしまっていたんだな。

半年経ってアシスタントをそろそろ辞めさせてくれと言ったんだ。同時に、それまでの半年間で感じていた無駄や問題について、ずっとメモをとっていたから、それに自分なりの対策をつけて、まとめて取締役会に提出した。

まず、営業情報の整理共有化をしなければいけないということを強く訴えた。当時も経理などで使っている基幹系のオフコンはあったんだけど営業部門にはまったくなかったので、パソコンを2台でいいから導入してくれと要請した。それで顧客情報をデータベース化しようということにして、とにかく導入してもらった。

それから全顧客のリストを作ったのだけれど、実はそのとき会社名と電話番号しかわからない状況だったんだ。それが例の電話帳だ。顧客の住所は商品発送伝票用の古いハンコにしか書いていない。それすらなくて個人の大学ノートに記入してあるだけの会社もあった。相手の社長の名前とか社員数とか、諸々のデータは各営業マンの頭の中にあるかないかという状況だったんだよ。何十年のつきあいもあって、いまさら住所とか社長の名前教えてくださいって聞けないだろう？　でも仕方がないから、各お得意先と仕入先に丁寧な送付状をつけて顧客情報を更新するための記入用紙を送ったんだ。それで3000件のデータベースを一人でコツコツ作っていった。パソコンがないから、それをプリントアウトして、顧客台帳と仕入先台帳を作って営業部に置くようにした。

ケースライター｜周囲の反応はどうでしたか。

吉田｜ところが、誰もその台帳を使わないんだ。確かにその時点では、個人ごとに断片化されていた情報を一カ所にまとめただけだったから、各営業マンにとっては既知の情報にすぎなかった。営業部では「ボンボンがなんかやったの?」っていう感じだったな。当時は自分の感じている問題意識に対して誰も理解をしてくれなかったよ。

ケースライター｜半年のアシスタントの後はどうなりましたか。

吉田｜営業部に残っていたんだけれど、今度は営業の人と一緒に全国の得意先を回らせてもらったんだ。もっと現場を知りたいと思ってね。それと同時に（前述の）データベースを作ったりしていたんだけど、もう一つ着手したことがあった。それはCTIという電話システムを導入することだった。

今までは、熟練したアシスタントたちは3000社の取引先を暗記していて、電話を受けるとすぐに何県のお客様で、当社の誰が営業担当かを理解して対応することができたんだ。それは長い間、何十年もアシスタントをやっているような人たちだからこそできることのように思われていた。でも、CTIを導入すると電話機の液晶パネル部分に相手先電話番号と顧客名、担当者が着信と同時に表示されるようになるんだよ。これは顧客台帳・仕入先台帳のデータベースシステムと連動できる仕組みになっていて、事実上これでアシスタントが熟練している必要はなくなったんだ。

ケースライター｜データベースについての知識は持っていたのですか。

吉田｜いや、まったくの素人だった。しかし、とにかく独学で一から勉強した。

▶4｜営業企画部時代

ケースライター｜営業について全国を回った期間はどのくらいだったのでしょうか。

吉田｜半年間回った。それで、現場を見ながら、次はどうしようか考えていたんだ。今のままでは、何をやってもボンボンが何かやっているとしか思われない。顧客データベースくらいでは誰も認めてくれないとわかっていたので、何か実績を出したかった。営業をしてすごい成績を出そうかとか、いろいろ考えたのだけれど、自分がその時会社に対して抱いた問題意識に基づいた新しい企画をやろうと決めた。その当時、カタログのデータベース化という構想を持っていたんだ。それで今度は取締役会に営業企画部をつくりたいと直訴した。ついては1人だけでいいから自分の選んだ部下を持たせて部を自分に任せてほしいと言ったんだ。その頃は、なんかやろうとするたびに社内の人たちや番頭たちは自分に対して余計なことをするなという態度をありありと示していたんだけどね。これまで通りに自分たちがちゃんとやってあげるから、そんなにボンボンは張り切るなよって。

ケースライター｜カタログのデータベース化とはどんな意味があるのですか。

吉田｜1万3000点の商品を全国の1500社から仕入れていて、2年ごとにカタログを改訂していたんだけど、実は医療機器というのはそれほど商品の入れ替わりが多くはないんだ。だから、実際は一部の商品を追加することが主な改訂だったのだけれど、2年ごとに全メーカーから全商品のポジフィルムを借りてきて、あらためてすべてを一から作り直す作業をしていた。それも写真を並べて切ったり貼ったりという超アナログな作業だったので、皆嫌がっていた。しかも、その期間はおよそ3カ月くらい、全営業とアシスタントがそれにかかりっきりにならなければいけないくらいの大変でコストのかかる作業だった。しかし、それを一度苦労してデータベース化すれば以後の効率は格段と上がる。だから、それを自分がやろうと考えたわけだ。

データベース化するメリットは他にもあった。例えばデジタル化することによって、カタログをCD-ROMにして配布するなど、マルチメディア対応も可能になるし、顧客ごとにカスタマイズされたカタログ作りが可能になるといったことだ。それに当時インターネットが急速に普及しつつあって、そういった流れに対応する上でも必要性が高いと思われた。

ケースライター｜実際のカタログ制作作業はどのようなものだったのでしょうか。

吉田｜具体的には、まずこれまで印刷を依頼していた大手の印刷会社との契約を打ち切った。その印刷会社からはポジフィルムのデータと商品スペックをデジタル化してデータベースを作る提案を受けたのだけど、彼らとの契約内容ではデータの版権が彼らの側に移ってしまうことになっていた。それはどうしても避けたかった。データベースを利用するたびに印刷会社から請求されるのでは後々高くつき過ぎるし、対応が遅くなるからだ。自分たちで管理できるデータベースを作る必要があると感じてさまざまな会社を探し回り、結局小さな印刷コンサルティングの会社と組むことにした。そして、松吉の基幹系システムを作ったシステム会社と、その印刷コンサルティング会社が探してきた印刷会社と自分たち営業企画部の4者体制で制作を行うことにしたんだ。

体制は決まっても、それからも膨大な作業だった。商品マスターを作る作業は営業企画部の2人の手で打ち込んでいったんだけど、それだけで1万3000アイテムあるし、ポジフィルムを借りるのも1000社を超える取引先に全部頼むわけだからこれは膨大だよ。おまけに印刷に関して2人とも素人で、印刷の専門用語を勉強しながら校正する作業が毎日繰り返された。実質1年この作業にかかりっきりになったんだけれど、後半の半年はもうほとんど2人とも会社に寝泊りする状態だった。そしてようやくデジタル化カタログ第1号が平成12年の5月に完成したんだ。

ケースライター｜周囲の反応はどうでしたか。

吉田｜かなり変わったよ。その1年間、自分たち2人の作業をずっと周りは見ていたのだけど、それがどれだけ大変な作業かみんなわかっていたし、後半は泊まり込みでやっているのも知っていた。もちろん全員が前向きな評価をしたわけではなかったけど、少なくともそれ以後の自分の提案に対して周りが話を聞いてくれるようにはなった。

ケースライター｜部下との関係はどうでしたか。

吉田｜1歳年下の部下だったんだけれど、後半特に忙しくなって、ぶつかることが出てきた。寝ないでやっているにもかかわらず、システムの構築も含めて3カ月くらいの遅れが出てきていたんだ。自分が直接社内の人間から文句を言われることはなかった代わりに、彼が社内でいろいろ言われるようになった。それでもお互いとにかくやるしかないし、ぶつかりながらも言いたいことは言い合って、とにかくやった。だから本当に肉体だけでなく精神的にもかなり消耗してしまって、カタログ作業が終わったときには彼には2週間の休暇をとらせ、仕事の軽い部署に移動させた。ちょうど彼が結婚する時期でもあったのでね。今ではあの苦しい時期を共に乗り越えた信頼感をお互いに感じられる間柄だよ。

▶5｜営業改革

ケースライター｜カタログ完成後はどうしたのですか。

吉田｜入社して3年目に入るのだけど、入社当初の、誰も自分の提案に理解を示してくれなかった状況が少しずつ変化して、社内でも2割くらいの人が賛同してくれそうな感じになっていた。残りの8割は、やはり80年続いている伝統を変えていくことにいちいち反対する人たちか、様子見のニュートラルな立場の人たちだ。自分としては2割の賛同者が社内にいれば改革は成功すると思ったので、この3年目で一気に会社を変えたいと思っていたんだ。

その頃から、医療機器業界にも再編の動きが現れて顧客どうしが合併したり、将来の見通しも徐々に厳しいものになってきた。いよいよ新しいカタログを使った新しい営業スタイルを導入する段階に移行する時期だった。営業部の全員がノートパソコンを持ち、携帯を使って社外にいる時もネットワークで結ばれている状態を実現しようと考えた。カタログを作っただけでまだ会社は何も変わっていない。仕事のやり方を変え、会社の旧態依然とした文化こそを変えなければいけないと思ったんだ。

その頃、数社のシステム大手企業からのシステムの提案を受けたんだが、高いのに驚いた。軽く億を超える見積もりが来た。しかもシステムの更新や保守管理のたびに高額の請求をされる仕組みだ。これでは本末転倒ということで、壁にぶつかった。

結局市販のパッケージソフトを組み合わせて、自前でシステムを構築する方針をとることにした。システムに強い人間を2人採用して、システム部を立ち上げた。彼らに松吉の営業の仕組みを理解してもらうためベテラン営業マンも参加させてグループウェアのカスタマイズを試行錯誤で完成させた。

その時期に営業部全員に対してノートパソコンを支給する稟議を通した。パソコン自体は800万円くらいかかった。そして外部講師を呼んで、全員がワード、エクセル、パワーポイント、データベースソフト、グループウェアを一通り使えるようにトレーニングした。50代のベテラン営業マンも含めて全員が使えるようになった。これは彼らのモチベーションの向上にもつながっていった。医療機器卸の業界は他に4社ほどあって、松吉を入れて5社が競合しているのだけれど、営業マンにパソコンを持たせたのは業界初だったんだ。古い体質の業界なのでちょっとした注目を集め、それは社員にとって嬉しかったようだ。

ケースライター｜仕事の仕方はどう変化したのでしょうか。

吉田｜仕事の仕方が大きく変わってきた。松吉の営業マンは多くの日数を地方の出張で過ごしているのだが、その出張先からそれまでは手紙を書いてきていたんだ。これも信じられないくらい古臭い方法だったわけだが、日々の出張報告書を営業担当の取締役で松吉の番頭みたいな人に直接送っていたんだよ。彼はそれを読んでどこかにしまっておくわけだ。その情報は全然共有されるわけではないし、そもそもどのように保管されているのか誰も知らなかった。それをメールでピッと送ればいいようにしたんだ。グループウェアにはスケジュール表も入っていて、営業マンはどこのお得意先を回ったかをすべて入力しているので、ホテルに帰ったらその結果を報告用のフォーマットに記入して送信するだけでよくなった。簡単だし、全員きちんと実行するようになった。

そしてそのデータは顧客情報データベースと連動する仕組みになっている。だから、例えばある顧客に営業マンの上司がご挨拶に行く場合、その時に部下の営業マンがいなくても、これまでいつ誰に何回くらい部下の営業マンが商談に行っていたかがデータで簡単に検索できてしまうんだ。しかも担当者の趣味や性格など気がついたこともどんどんデータに放り込める仕組みにしてあるので、商談もスムーズに行えるというわけだ。

松吉は1次卸で競合は4社ほどいると言ったけど、実際に病院に医療機器を売り込むのは2次卸だから、重要なのはその2次卸が他社ではなく松吉のカタログを持ち込んで病院と商談をしてくれることだった。他社のカタログが持ち込まれれば、当然同じ商品でも松吉に注文は来ない。

ここで差をつけるために、カタログのカスタマイズを2次卸向けに提案する仕事を営業に始めさせた。新しいカタログのプレゼンテーション・フォーマットを営業企画部が作って各営業マンに渡し、顧客に対してパソコンを使ったプレゼンテーションが現場で頻繁に行われるようになった。これは目新しさがあって評判もなかなかよかったし、受注の増加にもつながりつつある。

以前CTIを導入したと言ったが、この頃にはアシスタント業務のうち電話対応は派遣社員の女性を使うようになった。特にクレーム対応をさせているんだけれど、データベースが充実したおかげで、長い研修などしないでも即戦力になるし、よりソフトな印象を顧客に与えられるので処理もスムーズになった。

ケースライター｜社内のコミュニケーションは変化しましたか。

吉田｜掲示板を使って提案の成功事例などが共有されるようになったことも含めて、良くなったようだ。しかも、パソコンの基本的な技術を一通り学んだおかげで、システムに対しても、もっとこうしたほうがいいという提案が現場の営業マンから次々と出るようになってきた。少しずつ確実な変化が起こっているようだった。

▶6 | リストラクチャリング

ケースライター | さらに改革を進めましたか。

吉田 | もちろん。ただ人材不足でいつも悩むようになってきた。一人では難しい壁があったし、自分にとって経営のことをとことん相談できる相手が必要だと思っていた。

ケースライター | 社長であるお父様には相談されなかったのですか。

吉田 | 現社長は3代目に当たるが、実質上、経営に関してはあまり深くコミットしていなかった。先代の2代目も同じだった。というのも、初代社長が94歳まで生きていて、自分も初代の生前を覚えているのだけれど、引退してもずっと会長職に残って、番頭役の役員をコントロールする形で、実質経営者として君臨していたんだ。だから2代目と3代目は経営にはあまり口を出さないようにしていたらしい。

　これまではそれでうまくいっていた時代でもあったようだ。しかし、自分は2代目3代目と性分が違うのか、現場にどんどん出ていきたいタイプだった。だから古い時代の番頭たちがその頃には目の上のタンコブに感じられたわけだ。彼らにしても同じだったかもしれないが、彼らは自分が提案する新しいやり方を望んではいなかったんだ。

　この当時、会社の改革を社長に相談しに行ったことがある。社長はいざというときにはすべて自分が責任をとるから、思い切って進めるようにと言ってくれた。

ケースライター | その後の改革とはどういうものだったのですか。

吉田 | まず優秀な参謀役を社外に必死になって探し求めた。人材会社に依頼もしたが、やはり高過ぎたし折り合える人材がいなかった。そんなときに、あるアパレルメーカーの経営企画部長A氏が会社と喧嘩して辞めそうだという話を聞いてね。以前から知り合いで優秀な人だなと思っていたので、

思い切って松吉に来てくれるよう口説きに行った。洗いざらい会社の状況を話して、自分の行ってきた改革の進捗状況と、今いかにA氏のような人材が必要かを説明した。給与は現職と同レベルを保証することを条件とした。1週間の猶予をくれということで、1週間後に返事をもらった。松吉の会社状況を分析した上で、改革が成功するならば会社は勝ち組に残れると思うということだった。それがA氏にとって入社してくれるという意思表示だった。

ケースライター｜A氏が入ってどのように変わりましたか。

吉田｜彼には管理部門を担当する部長として入社してもらったが、それに限らず松吉のあり方に関するありとあらゆる問題を話し合った。そして改革案をまとめていったんだ。アパレルと医療機器というのは接点があって、例えば看護師の白衣だ。白衣は有名デザイナー物などが人気になっていて、大きな市場に育ちつつあった。新しいターゲット層への取り組みなど、アパレル業界出身者らしい新しいビジネスアイデアが次々と生まれた。

しかし最大の改革は組織のリストラクチャリングだった。松吉は100人程度の会社なのに、役職は多かった。主任、係長、課長代理、課長、次長、部長といった具合だ。役職定年というものもなくて、60歳を過ぎた役付きも大勢いた。年配の人は改革にも消極的な人が多かった。役職定年を設けてそういった人たちを一気に平社員に戻し、階層は課長と部長だけにして、職務等級を設け、現在の実力に見合った給与体系にすることが、A氏とまとめた新しい組織案の骨子となった。これを導入すれば、絶対に社内から相当の反発が来ることが予想され、ある程度の退社も見込まれたので、あらかじめ若い人材を次々と中途入社させるなど下準備を少しずつ進めた。

しかし、その頃は本当につらい時期でもあった。社内の反対勢力の人間たちが自分たちへの悪口と思われる内容を社内のFAXに流すなど、いやがらせもあった。

ケースライター｜そのFAXはどんな内容のものだったのですか。

吉田｜「王子様がやって来た」というもので、「王子様がお星様からやって来て、お供を1人連れて来た（A氏と思われる）、なんにもわかってない2人なのに会社をグッチャグチャにしようとしている。みんなで会社を守るため、王子様とお供の2人を力を合わせてつぶしましょう」みたいな内容だったかな。まあ、いやがらせは他にもいろいろあった。その頃は気が張っていたから自分ではあまり気にしていなかったのだが。

ケースライター｜改革案はいつ発表したのですか。

吉田｜3年目の最後の月、12月15日に発表した。前日の取締役会で決定し翌日、食堂に張り出した。役職だけでなく全員の等級も発表したので、かなりの動揺が社内に走った。特に年配層の降格はインパクトが大きかった。しかし、実力のある人間は同時に引き上げたので、必ずしも失望だけを生む内容ではなかったはずだ。（同日付で吉田氏は常務取締役に昇格した）

▶7｜混乱

ケースライター｜実際の反響はどうでしたか。

吉田｜翌月には15人が辞表を提出したよ。さんざん会社の悪口を言い残した者もいた。顧客情報を持ち出していった者もいた。ある程度は予想していたがショックだった。影響はそれだけではなかった。長い営業経験を持った人材がいっぺんに去ってしまって、一部システムが混乱し現場がストップしてしまったんだ。納期に影響が生じて最大で約3週間程度の遅れを生んでしまった。さらに、業界中を松吉の悪い噂が流れることになった。辞めていった人があちこちで悪口を言って回っているというのもあったが、それだけでなく顧客からもヨコのつながりで噂が広がっていった。松吉のボンボンがわけわからんシステムを入れて混乱が生じているようだというようなものだった。とにかくその3週間は復旧に全力を注いだ。

ケースライター｜システムの混乱とはどのようなものだったのですか。

吉田｜実は組織の発表と同時に、これまでの経験と勘に頼った職人的な営業のやり方を改め、営業マニュアルに基づく標準化された仕事のシステムを導入することも発表したんだ。これは、ある程度営業マンが動いたり辞めたりしても営業を回せる体制にする狙いがあった。しかし、これが実際には一部回らなかったということだ。

このシステムは12月の発表を前に9月頃から受発注プロジェクトチームというタスクフォースを編成して検討を進めていたんだ。自分が事務局長になって、A氏はもちろん、総勢20名ほどの人間を指名して組織した。これまでの熟練した職人的な仕事のやり方を変えるためにマニュアルを作成し、シミュレーションやロールプレイングを行った。

例えば、これまで仕入部という部署があったのだけど、実際は在庫の補充しか行っていなくて、新たな発注は営業が直接仕入先に対して行っていた。この仕入方法は非常に効率が悪くて、同じ仕入先に対する同じ商品の発注であっても、数をまとめないので購買力の向上に結びついていなかった。これに対しては受注伝票を作って、仕入部が数量をまとめて一括発注を行う仕組みをつくった。これを機に、仕入部は商品部という名称に改めた。

これ以外にも従来の営業の流れにあった無駄をなくす仕組みを検討し、マニュアルを作って、シミュレーションやロールプレイングを行って検証するという作業を重ねていった。また、チームのメンバーは営業経験が長い人たちに対してヒアリングをし、詳しい調査も行った。したがって、当初はある程度の混乱が発生するかもしれないが、予想を大きく越える問題は出ないだろうと考えていた。

ケースライター｜どのような問題が予想を越えたのでしょうか。

吉田｜松吉の顧客は1500社に上るが、営業はそれぞれの顧客に対して長いつきあいの中でさまざまな個別ルールをつくっていたんだ。それに対してヒアリングでは拾いきれない面があった。言ってみればそれは顧客と営業マンの長年のつきあいによって築かれた阿吽の呼吸のようなものだ。

そもそも松吉の営業は個人商店の集まりのようなもので、各自に大きな権限と裁量が委ねられていた。したがって、仮に発注量が同じだとしても客によって掛け率が10％以上違うなんてこともよくあった。それに納期の出し方も客によって違った。マニュアルでは何時までの注文は翌日発送で、それ以降は翌々日発送などの決まりをつくったのだが、客によっては何時であろうと即日発送しなければならないような個別の事情を持っているケースもあった。

こういうことはどれも、今までの営業マンは頭の中に入っていたので客から言われなくても手配していたわけだが、そういう情報をきちんと引き継げなかったわけだ。引き継ぐ前に辞表を出して辞めていってしまった人については確認のしようもなかった。辞める人間が出るのは想定していたが、それが発表の翌月で15人というのは予想より早いペースだったという面もある。

ケースライター｜事態の収拾はどのように図ったのでしょうか。

吉田｜辞めてしまった営業マンの仕事をろくに引き継ぎもなく担当するという状況になってしまったわけだから、個別の顧客対応が今まで通りにできるわけではなかった。かと言ってこれも顧客名簿づくりと同じで、今まで何十年もお取引をさせていただいていながら、今さらどんな取引形態でしたかとは大変聞きにくい部分があったわけだ。顧客からすれば、担当が替わったのだったら前任者に聞けよという反応になる。すみませんが急に辞めてしまいましたと言えば、変な噂をすでに耳にしているものだから、松吉が首を切ったのだろうと余計な嫌味を言われるといった具合だった。

とにかくクレームを言ってくれた顧客から先に、自分、営業部長、商品部長の3人が分担して全国を謝りに回った。クレームがなくても注文が来なくなった顧客のことも見落とさないように、やはり訪問するようにした。この頃は行くたびに毎日怒られるわけだから、本当にへこんだよ。

医療機器というのは、生死に関わる商品なので納期に関する問題は取引に決定的な悪影響を及ぼすことになりやすいんだ。今回の混乱の中で特に痛かったのは、顧客が期待する納期に対して、我々が違った納期を想定してしまったというミスが何度かあったことだった。

ケースライター｜当初、社内の2割程度は自分の考えを支持しているだろうと想定して改革に着手されたわけですが、その2割の人も含めて動揺が大きかったのではないですか。

吉田｜確かにこの時期の社内の動揺は大きかった。顧客からのクレームの多さだけでも動揺を作っていたのに、わが社をすでに退職したOBたちまで噂を聞いて、若手や中堅に対して会社の批判を言いにくるといったことまで起こっていた。

ケースライター｜社内の動揺に対してどのように対処しましたか。

吉田｜とにかく自分を含め上層部の人間は絶対に動揺を見せず、毅然とした態度を取るようにした。OBの社内への立ち入りも禁止した。対応策などの打ち合わせはすべて一般社員の耳に入らない場所で行うなど、とにかくこれ以上の動揺が広がらないように気を配った。

そして1月に会社の新しいビジョンを発表したんだ。それが「3脱」というもので、脱個人商店、脱御用聞き、脱アシスタントといった、今回の改革の意味と目標を改めて訴えるものだった。営業がなぜ変わらなければならないのか、なぜ個人商店の集まりのままではだめなのかということをわかりやすく説明していった。もちろんこれまでの会社規模のままでいいというのなら今までのやり方でいいのかもしれないし、個人商店のほうが現場の人間にとってみればもっと面白みがあったかもしれない。しかし、競争環境が厳しさを増し、その中で大きく会社を成長させることを考えたときに、会社としては個人商店の集まりで営業していくのはリスクが大きいということだ。個人商店の場合は個人が情報を囲い込んでいるから、売れていないときもその原因の把握はできない。だから売れていないときの上司の役割は、とにかくもっと一生懸命売ってこい、汗をかいて足を使って顧客を回ってこいという、体育会系のノリではっぱをかけるだけだった。

これに対してリスクを減らすということは、これまでの根性主義を脱却し、データをきちんと分析して、ロジカルになぜ売れないのか分析していくというやり方へ方向転換していくということだ。これは別の言い方をすれば、物が売れるか売れないかのリスクは個人商店主ではなく、会社が取るという方針への転換でもある。

ケースライター｜今まであった良くも悪くもの現場の自律性を奪ってしまったことのマイナスはありませんか。

吉田｜営業のやり方にマニュアルを導入し標準化するという意味では確かに自律性を奪った面があるかもしれない。しかし、実際は御用聞き営業だったわけで、自律的な営業とはいえなかったと思う。むしろ、これからはプルではなくプッシュ型の提案営業を積極化しようという流れになったわけだから、現場に対して新しいチャレンジを求めるようになった。実際にパソコンを使った商談を想定しプレゼンテーションをする社内研修を何度も行ったが、これは社員が自分でパワーポイントを使って企画をして発表するというものだった。回を重ねるごとに工夫がされて上達する様子が目に見えてわかった。このほうがより自律的な営業であると考えている。

ケースライター｜しかし、そもそも営業をすべてマニュアル化することは難しいのではないでしょうか。

吉田｜確かにそうだ。マニュアルでは対処できない問題も次々と生じてくる。それに対してはとにかくスピーディーに対応することが大切だ。現場からスピードが失われることがマニュアル化の弊害の一つだと考えている。したがって、もしわからないことがあれば、営業部長を飛ばして、直接自分に質問してもいいということにしており、即決で指示を下すようにしている。今の規模であれば、現状はそういった対応が可能だろうと考えている。

ケースライター｜改革に伴う混乱が収まってからの状況はいかがですか。

吉田｜1月一杯はとにかく苦しかった。しかし、それからは人心も一新し会社が明らかに若返ってきたと感じるようになった。自分の入社当初、会社の平均年齢は40歳だったのだけれども、今は33歳になっている。

顧客は規模によって3タイプに分けており、大手、中堅、小規模となっている。実は混乱が発生したのは小規模企業に対する営業が中心だった。小規模企業というのはほとんどが病院一つに対する専属の営業しか行っていないといった規模で、数は1000社を超えているが、松吉の売上に対する比率は決して大きくなかった。小規模は現状の売上も伸び悩んでおり今後の大きな成長を見込むことはもともと難しかっただろうと考えている。それに対して大手や中堅に対してはほとんど混乱が生じていなかった。これらの企業に対してはむしろ新しい提案型営業が少しずつ成果を挙げてきており、営業はむしろ順調に推移しているといえる。一般管理費などのコストも低下してきている。

それで4年目の春になってその安心感が出てきたのか、体調がおかしくなって気づいたら胃潰瘍だったわけだ。今は体調に問題はないけれども。

▶8｜評価と課題

ケースライター｜来月で入社して4年が経ちますが、振り返ってどうでしょうか。点数をつけていただけますか。

吉田｜75点かな。

ケースライター｜その理由は何ですか。

吉田｜やはり、若いから思いっきりやれたっていう部分は自分にとって良い経験になった。とにかく新しいことにドンドン取り組んでいこうということで、中には投資としては無茶なものもあったが、大目に見てやらせてもらった部分もあったのだろう。しかし、やらせてもらっていたにしても、そのときに思いっきりやったからこそ自分自身この4年間で成長できたんだと思う。先日、ある取引先の社長さんから「吉田さんは業界の異端児って噂ですよ」と言われたんだ。しかし、自分としてはそれでいいと思っている。なぜなら噂にもならないおとなしい4代目なんて誰からも名前すら覚えられもしないだろうし、それよりは噂の異端児でいいじゃないかと。

ケースライター｜残りの25点は何ですか。

吉田｜やはり会社に対して長い間奉仕してきてくれた人たちの一部が罵声を吐いて会社を辞めていくような形になったことだ。もう少し違った、温情を示せるようなやり方があったのではないかと思うこともある。

ケースライター｜今後の課題は何でしょうか。

吉田｜これからもまだまだ変わっていかなければならないと思う。医療機器の分野ではさらに流通構造の変革を狙った取引を開拓中だ。また、医療機器の分野を固めながらも、それだけがビジネスの柱である必要はない。5年後、10年後はまったく新しい松吉になっていていいと思うんだ。だから新しい分野にも積極的に進出したいと考えている。また、倉庫の問題はすでに取り組んでいる。栃木県に土地を購入し物流センターを建設中だ。データベースがオンラインで共有できるため、もはや営業アシスタントが隣の倉庫まで走っていって在庫を確認する必要はない。医療機器の分野はJANコードのようなものがないのだが、商品の型番をもとに自社でバーコード化を進めている最中だ。栃木のセンターでは、ほとんどが地元のパートの人たちによってバーコードのスキャナーを片手に仕事を回していくことになる予定だ。そうすると今度は本社の営業アシスタントをどうするかということが課題になる。再びリストラせざるを得ないのかもしれない。

謝辞

本ケースを作成するにあたり、ケースライターは吉田英樹氏に合計10時間程度のインタビューを行った。ここに吉田英樹氏に対し、心より感謝の意を記す。

図表9 | **吉田英樹氏略年表**

年	年齢	出来事
1994年	23歳	**大学卒業後為替ディーラーとしてA社に入社**
1996年	25歳	**A社を退社し、英国へ1年間留学**
1997年	26歳	**帰国後、松吉に入社** 営業部に配属となりアシスタントを半年経験 ・顧客台帳と仕入先台帳を作成 半年後、アシスタントから営業部部員となる ・取締役会に松吉の問題点と対策を提出 ・CTIシステムを導入 ・全国の営業先を先輩と一緒に回る
1998年	27歳	**営業企画部を立ち上げる** ・部下1名とともにカタログのデータベース化に着手する
1999年	28歳	**社内改革への着手** ・業務関連のシステムを構築し、営業部員全員にパソコンを支給 ・コールセンター開設 ・参謀役のA氏を社外から引き抜く ・受発注プロジェクトチームを立ち上げる ・社内でいやがらせの発生 ・新組織体制と新等級体系を発表 ・営業マニュアルの発表 ・常務取締役に就任
2000年	29歳	**システムの混乱** ・事態収拾のため全国の取引先を回る 新ビジョンの発表 ・「3脱」 混乱の沈静化
2001年	30歳	**栃木県に物流センターを建設**

図表10 | **松吉医科器械株式会社　会社概要**

社名	松吉医科器械株式会社
創業	1917年
創業者	吉田英雄
代表	代表取締役社長　吉田路樹
資本金	10,000,000円
従業員数	100名
事業内容	・医療機器、理化学機器の製造ならびに販売、輸出入とその代理業務 ・新設開業病院、診療所、福祉施設等のプランニング
取扱品目	診断用機器、処置用機器、特定治療材料、医科用鋼製器具、臨床用検査機器、育児用品、介護福祉用品、健康機器、衛生用品、診察衣・看護衣等の被服および関連製品、什器など
主要販売先	・北海道から沖縄県までの全国各地の医療機器ディーラー、理化学機器ディーラー、医薬品卸、薬局、調剤薬局、介護ショップ3,000件以上 ・関東地区の自治体、公社、国・公立病院および診療所 ・私立大学病院、研究施設 ・特別養護老人施設、老人保健施設、看護学校 ・防衛庁 ・国際協力事業団（JICA）など
主要仕入先	診断機器、検査機器、特定治療材料、医療用鋼製器具、育児用品、介護福祉用品、健康機器、衛生用品など各種メーカー1,500社以上 ・ドイツ パリ社、クレメントクラーク社などの海外メーカー

（同社　会社資料より抜粋）

注

このケースは、著者の承諾を得て原ケースを短縮したものである。原ケースは慶應義塾大学大学院経営管理研究科髙木晴夫教授の指導の下に、博士課程13期生八木陽一郎が作成した。

DISCUSSION

高木｜午後の授業を始めましょう。二世経営者の吉田英樹さんは、実名です。結構苦しい場面の情報も提供してくれています。このケースのインタビューをしたのは、2003年ごろです。現在は社長としてホームページに載っています。

私は、組織の規模を見るときに従業員数を確認するのですが、現時点でホームページに155人とあります。このケースの時点では120人くらいですから、この15年ちょっとの間に拡大しているようです。事業としてはネット販売を増やしたりもしています。

医療機器というのは薬の問屋さんに比べて、数が少ない。今でこそ、薬の問屋さんの数は減ってきていますけれど、昔はすごく多かったんです。100を超えるくらいの薬の問屋があったんですね。それが現在多くて5つか6つくらいに集約されています。

医療機器については、もともとそんなに多くの問屋の数はありません。流通商社なので、医療機器を作る製造側と、使用者側の間に入る卸です。この松吉は1次卸です。2次卸があって現場へ届く仕組みです。吉田さんは、松吉という会社の後継者、4世です。ご本人は、他で社会人を経験してから何年か経って、会社に戻ってきた。そこから、努力というかご苦労がありまして、社内的には相当な軋轢が起きるわけです。この会社では、顧客情報は営業の頭の中に入っていましたから、退社されると社内では営業の顧客情報がなくなる。そのへんのご苦労の様子も書かれています。

今日このケースを使って議論しようとしているのは、「入社から4年間にわたって行ってきた吉田氏の改革行動について、どのように評価するか」ということです。評価をする際に、何をもって、どこの角度から見たときに上手で、どこの角度から見るとうまくなかったのか。その際の視点を考えてほしい。ある評価基準を使い、いろいろな角度から見ていきながら、ここで議論をさまざまに行うことで、身につけてもらえるものがあると思う。

このケースは単純に扱うと、「二世経営者教育のケース」になってしまうので、二世でなくても学びの得られる設問にしないといけない。それで、こういう設問にしました。

ここには、二世さんはいる？　ひとり、ふたりいらっしゃいますか。25分の2。普段のNUCBのクラスだと、二世の方というのはどれくらいの比率ですか？

A｜一桁パーセントぐらいかと思います。

髙木｜私は、このケースをKBSでわりと使っていたのですが、そのときに50人のクラスで二世さんは5人ぐらい。10％ですかね。このケースを議論しながら涙ぐんでしまう人もいて。自分の苦労と重なったりしてね。卒業後、親の会社に入ってやろうと思っていることがこのケースに書いてあって、「こういうことをすると、こうなっちゃうんだ」と見えてしまって涙ぐむ方もいます。

▶グループ討議の内容はどうだったか

髙木｜グループ討議が盛り上がっているときに声をかけるのはしのびないので、うろうろしておりました（笑）。勢いのあるグループ討議でしたので、それぞれのグループが何を話したかというのを他のグループに説明して、共有しましょう。みなさんそれぞれのグループでポイントが同じだったら、「それ、重要だよね」ってなるだろうし、少しずつポイントが違っていたら、それを寄せ集めたほうがよいかもしれません。せっかくなので、グループ討議の内容を活用していきましょう。

A｜うちのグループではとりあえず、(1)(2)(3)の設問について、(1)と(2)はセットにして話をすることになりました。評価軸に関しては、「利益」「継続性」「感情マネジメント」の話が出ました。そして、「感情マネジメント」に失敗したのでは、という議論になりました。新しい人事を「ゲリラ告知」することで、社員が会社に恨みを持って辞めるような形になったからです。そういったことを引き起こしてしまった点では失敗だったのかもしれません。一方で、「辞めてもらいたかったから、わざとゲリラ告知をしたのだろう」という意見もありました。ただ、思ったよりもダメージが大きかったので、結果的には感情のマネジメントは失敗しているという結論になりました。

次に（3）に入るのですが、なぜ「感情マネジメント」を評価の軸にしたかというと、会社、企業というのは、結局人が大切だからです。会社や企業という箱があっても、人という中身がなければだめだし、中身だけでもいわゆる事業体としての存続は難しい。そうなると、「事業体としての存続」と「働くのは人である」という2つの視点は必要だと考えました。

外から変えられるのはストレスですから、人に気持ちよく働いてもらうために、そのコントロールをちゃんとしておかなかったのは、まずかったと思います。パソコンを全員に渡すことで社員のモチベーションを上げたように、気持ちよく働いてもらえるやり方は、きっとあったはずです。それなのに、人事をゲリラ告知したことで、ごそっと辞められてしまった。「どうやればごそっと辞められずに済んだのか」という話に加えて、「自分たちで変わろうという自発性」を管理できなかったのは、ちょっともったいなかった感じがします。社員が、おいてけぼりになってしまったことが問題かと思います。

髙木｜「気持ちよく働いてもらう」という言葉の中に、自主的に働くという意味合いも含めているのかな。

A｜はい。そうですね。

髙木｜わかった。感情マネジメントと会社の存続だね。ありがとう。じゃ、そちらのグループへ。

B｜議論が分かれて、面白いものになりました。（1）の評価の部分では、プラスの評価が多く出ました。「2年で成長性を獲得できたのは良かった」「ITなどの外部の環境変化に対応できた」「外のやり方を知っていた」。吉田氏が外部で働いたからこその知見が生きたわけです。そして「行動力があった」「危機意識をオーナーが持っていた」「事業を大きくできた」。そしてトップが「率先垂範」、つまり仕事のやり方を、身を持って示したということです。実際、社員の働き方が変わりました。「冷静な判断力」「やりきる力を持っていた」ところなどが、プラスの側面として出てきました。

一方悪いところは、「人に対しての配慮が欠けていた」部分です。「そこをうまくやれば、4年はかからなかったのではないか」という意見がありました。年齢もあろうかと思いますが、ちょっと強引過ぎる面があったかもしれません。外から入ってきた30歳の若造が変革できたことに対しては、「オーナーだから」「オーナー企業だから」できたのではないか。良かれ悪しかれ、そういうファクターがあったと思います。

(2)(3)の評価というところでは、「4年かかったのは、長いか、短いか問題」があります(笑)。100人という小さい組織ですから、「もっと早く変えられた」という意見と、「人の気持ちは変えるのが難しい」という意見で議論になりました。そして、人数以上に「人の質」が関係していたのではないかということになりました。例えば「ちゃんとした1万人」と「駄目な100人」では、どっちが変えるのが難しいか。

個人商店だったものを会社組織に変えたという面では、「企業の永続性」を考えると非常に良かったと思います。ただ、コミュニケーションが非常にまずかった。前のチームも出していた、「人を辞めさせたかったのか、辞められてしまったのか」という論点にも通じるところです。

そして最後に、長期的な視点で手を打てたのは、オーナー企業ならではだと思います。サラリーマン社長では、ここまでがんがんやることはしなかったでしょう。背水の陣のオーナー企業だったからこそ、4年という時間軸の中で改革をし続け、プラスマイナスはあったとしても結果を残せたということになります。以上です。

高木｜「駄目な100人」と「良い1万人」？

B｜そうです。

高木｜こういう言葉はこのクラスの心をつかめるね。これについて議論する価値があるということになる。もちろん、良い1万人といっても、良い人ばかりではないでしょう。中小企業の従業員と大企業の従業員とでは、学歴を比較したら差が出てくると思うけど、それをもって良いとか悪いとかは言えないかな。朝会社に着いて新聞ばかり読んでいる「良い1万人」のほうがよっぽど悪いとも考えられる。とはいえ、二世経営者が「駄目な100人」を預かることがないわけではない、というのも事実です。では、Cへ。

C｜我々のチームでは、顧客、社員など別の視点で考えると、この改革がどう見えるかというところを話し合いました。また、リソース、業務プロセス、改革プロセスという観点で、良かった項目、悪かった項目を列挙していき、結局改革は成功だったのか、失敗だったのかというところに集約をしていきました。

結論としては、成功したということになりました。その理由の一つは「事業の持続性を高めた」こと。これは顧客のデータベース化などが挙げられます。これまで属人的な管理だったものをIT化できたため、皆で情報が共有できるようになりました。これは事業の持続性を高めることにつながりますから、評価できる。

2つ目は「4代目経営者が育成された」ということです。自らが率先してカタログのデータベース化にあたり、いわゆる修羅場に近いような体験をしながら、小さな成功を積み上げていきました。この過程で仲間もできました。この経験によって4代目経営者が育成されたという点で成功だろうと思います。

3つ目は「競争力を高めた」という点です。ノートパソコンを営業に配布したりするなど、当時競合メーカーでやっていなかったことにいち早く取り組んだことを評価しました。

変革のステップというところでは、「人間軸・技術軸」とありますが、人間軸の解凍が不十分なまま技術軸に走ってしまった。いろいろな仕組みを入れる前に、もう少し解凍をしたほうが良かったのではないかという意見もありました。一方で、「20%の人が解凍されたのであれば十分だったのではないか」「全員を解凍することを待っていたら、いくら時間があっても足りない」という意見がありまして、ここは議論になりました。

高木｜人間軸と技術軸について、少し説明を加えておきましょう。改革をするときにいろいろな方法がとれるわけだけど、それを大きく2つに分ける考え方があります。それが「人間軸と技術軸」というものです。まず、人間軸からいうと、ある人が持っている考え方、考え方のフレームワークを柔らかくして別の考え方になってもらう方法です。つまり、意識や価値観を変えてもらうことは人間軸に働きかけることになる。意識変革も同じです。ある人の固まった考え方を緩めることを「解凍」といい、その後新しい考え方に変わることを「再凍結」といったりします。

技術軸に関していえば、「技術」というのはテクノロジーのことではなくて、言葉としての技術論のことです。心理ではなく、論理で説明ができる、メカニズムで語れる領域を指します。例えば改革に際しては、「業績と給与の関係を明確にする」「給与表を新しく作る」などが該当します。つまり紙に書けることですね。制度論ともいえるでしょう。

図表8｜**解凍・移動・再凍結**

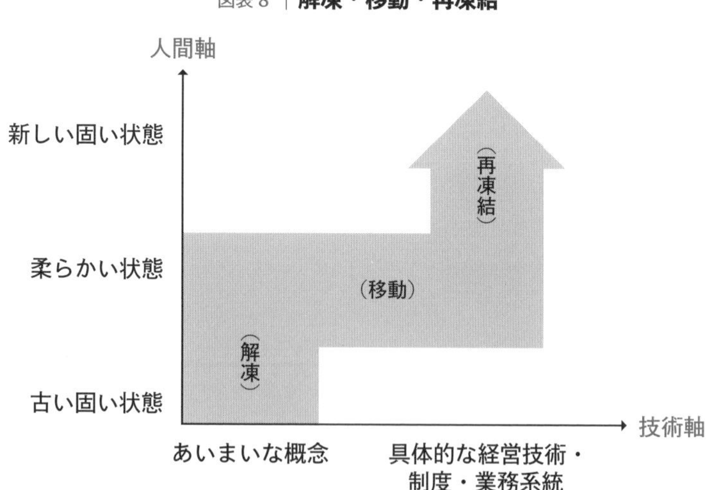

D｜最後なので他のグループと結構重なるところがあるのですが、時間軸のところで、「4年は早かったのか遅かったのか」「もっとゆっくりコミュニケーションをとりながら改革したほうが良かったんじゃないか」「人を巻き込むところまで持っていってから改革をしたほうが良かったのではないか」という話が出ました。

また、彼自身があまりコミュニケーションがうまくないので、実績を見せることによって組織をつくり、人を入れて拡大するようにしたことは、実は良かったんじゃないかという点が指摘されました。また、結果として人が減ったのか、計画的だったのか、計画的だったけれど思いのほか人が辞めてしまったのか、という議論にもなりました。

コミュニケーションについては、事前に、みんなに「どういう変化が起こりうるか」という話をしていたら、もう少し従業員の対応も変わったんじゃないかという話が出ました。また、コミュニケーションがとれていなかったために、信頼が構築できなかったということが大きいんじゃないかという意見がありました。はじめに「仲良しクラブ」を解凍して、それから仲間の再構築をして新しいチーム、自分のチームでやっていこうとしているのではないかという見方も出ました。

1次卸が将来的にいらなくなるかもしれないという危機感の中で、会社の組織化やリストラ、業務の効率化などを行い財務の強化もできました。また、組織が若返り、変化にスピードが出たことで、他社に先駆けてデータ化、IT化し、競争優位がとれたという点でも良かったのではないかという話をしました。

▶吉田氏に計画性はあったのか、なかったのか

髙木｜今4つのグループから話を聞いて、私なりにキーワードを考えていたんだけど、みんなが多分、一番議論したいのは、「計画性」かな？　この計画性を俗な言葉で言うと「確信犯」。知らんぷりしながら、ピュッと刺すのが確信犯です。この吉田英樹さんは確信犯で、「辞めるように仕向けていく」と

いうステップをとったのかどうかは、ケースからは読み取ることはできない。だからみなさんにそうであったのかどうか、考えてほしい。

確信犯になるかならないかは、方法的に選択できます。みなさんがこれから仕事で変革をする立場に立ったときに、確信犯でやることもできる。ドミノをぽんと倒すと、パタンパタンパタンパタンと倒れて、最終的に倒したいものを倒していく。ここでは辞めてほしい人に辞めてもらうという意味だね。そういったドミノ倒しを心得ていて変革する方法と、「考えもしませんでした」という方法。選択として、この2つの方法が何にでもあると思います。人生のあらゆる場面で、これは生じてきます。

考えてほしいのは、家族経営の会社の二世として、確信犯という方法を手の中に入れるべきなのか、それは人への配慮としてそもそも手の中へ入れちゃいけないものなのか。

A｜私は確信犯というのは、あってもいいのではないかと思います。吉田さんがしたのは、仕組みや働き方を変えていった先のリストラであって、その間に「会社にマッチする人はこういう人です」ということをメッセージとして出していたのではないでしょうか。最後のリストラについては、僕はリストラというよりもマッチングだと思ったんです。「会社に必要な人間はこういう人です。変われますか、変われませんか」と問うたわけです。そこで変われない人は辞めていき、変われる人が残る。無理に切っているわけではなく、一緒にやってくれる仲間が誰なのかというのを……。

高木｜ふるいにかけた。

A｜ふるいにかけたような感じかと思うんです。そういう意味では計画的ですね。ですから確信犯でやるというのは、あってよいのだと思います。そうじゃないと、この後会社が続いていかない。なるべくシンプルに、自分の味方になってくれる人、一丸になってくれる人を求めた。

高木｜残ってくれた人は、たまたま残ったのではなくて、かなりふるいにかけた後に残った人ということだね。

A｜はい。一方で、このケースの中では昇格もさせています。やっぱり残したい人には目をかけていた。

B｜業績のことが書いていないので、このときの状況がどうかわからないのですが、吉田さんは多分この会社に入られて、あまりのアナログぶりに危機感を感じたんだと思います。その危機感に突き動かされてやったことが、結果的にこういう形になった。確信犯ということの答えにはならないかもしれないけど、経営者になるメンバーの一人として、自分の意志を貫いたということではないでしょうか。

高木｜古い経営から脱却しないとやっていけない。そのためにいろいろな方法をとりました。それは当初から人が辞めていくことを前提とした計画ではなかったということだね？
C｜結局どちらの方法をとるかは、経営者なり、変革を進める人が、どれくらいの時間軸で、どういう会社像を描くかによって変わってきます。その前提には外部環境がありますから、その中で選ぶべき選択肢は、狭まったり、広がったりする。もし、時間がなくて外部環境が厳しければ、計画的に辞めさせるという方法をとらざるを得ない。しかし、ゆっくりした状態で、ゆっくりとした変革でいいのであれば、人に配慮しながら自然に人が辞めていくという形をとれる。置かれた環境と目指すべき形で変わってくる。

高木｜松吉という会社における吉田さんの場面だったら、彼にゆとりはあったのだろうか？　4年という改革の期間は、ゆとりがあったのかな。ちょっとよくわからないんだけど。
C｜歴史の長い業界の中での4年なので、「ある程度の時間はある」という判断の中の4年間だったのではないかと思います。
D｜確信犯だと思います。手持ちの時間が長いのか短いのかという時間軸でいうと、ご自身には時間があった。30歳でしたから。ただ、会社の存続の面を考えると、そうともいえない。従業員の平均年齢は40歳ですが、高卒とかなり上の年齢層で構成され、ミドルがいない。会社の持続性を考えたとき、変革をしないと事業の近代化というところに向かっていけない。吉田さんはその準備を徐々に整えていったのだと思います。コンピューター化、データベース化、情報の共有化、パソコンの操作を入れるなどの行動は、その表れです。「職人色を捨てきれない人には辞めてもらう」というメッセージが、降格や昇格という人事に込められていました。反対勢力がいると、事業の近代化が遅れてしまいますから。そのように人を選別しているので確信犯だと思います。

E｜入社したときに吉田さんは、「この会社は職人の会社だ」と感じたと思います。

高木｜そうですね。

E｜その中で父親の社長がリーダー的な役割をあまり果たさず、「仲良しクラブ」みたいな形で、会社が存続していたということです。その中で、吉田さん自体は、ディーラーとして職歴を積み、階層化された専門職の世界で生きてきたので、違和感を感じていたと思います。その結果、属人的で形式化されていないものを、データベースなどを使って形式化したものに落とし込もう、落として専門職の方向に会社を動かそうとしていったと思うんです。ただ、その結果、最終的に属人的なところが残ってしまって、そこを切らざるを得ないと判断した。それが最後はこのリストラに着地したのではないか。やはり計画的にある程度考えてやったのではないかと思います。

高木｜ちょっと待ってね。確信犯と思う人のほうが多いですか？　どっちかに手を挙げて。確信犯だと思う人。たくさんいるね。確信犯じゃないと思う人。2対1くらいの割合だね。

では次に、確信犯じゃないよという人。交代で意見を言ってください。

E｜確信犯じゃないと思ったのは、もともとゼロから始めて、1人の仲間をつくって、10人、20人と仲間を増やしていき、リストラはその後のステップだったというところです。要は、徐々に仲間を増やしながら改革を構築していった。今そこにいる人たちで一緒にやっていこうという気概があったのではないか、というのが一点です。

もう一つは、今いる人たちを戦力と考えつつも、IT化を進める中で、誰もが情報を簡単に取れるようになったので、複雑な階層が必要なくなってきた。フラットな階層のほうが重要なファクターになったというところからきたのかもしれません。別にクビを切りたかったわけではなくて、事業を継続させるにはどういう組織がいいのかというところに立ち返って考え、それによって改革をしたということです。

高木｜まあ言ったら、辞めないことを前提にして進んでいったケースだ。

E｜はい。

高木｜そしたら、意外なことに辞めちゃった。

E｜もちろん一定の反発があるのは予測しつつも、もうちょっと残ると算段していたのでは。

高木｜そしたら想定よりもたくさん辞めちゃって。

E｜ええ。大混乱になってしまった。

高木｜わかった。他には?

F｜途中から確信犯とも考えられます。入社したとき、すぐには考えていなかったんじゃないかなあ。やっていくうちに途中から、そういうことを思うようになった。

高木｜どこらあたりからだと思う?

F｜パソコンを配ったあたりからですね。

▶確信犯を演じるために必要な心構え

高木｜この議論にもう一つ追加してみたいんですが、みなさん自身が自分の仕事で確信犯をやるときって、やっぱりあると思うんですよ。ここでは吉田さんが、まあ仮に、確信犯だったと想定しましょう。そう考えたときに、「確信犯だけれども、下手だった」という部分はあるよね。確信の度合いが浅くて、想定よりもたくさん人が辞めちゃった。それは確信犯としては失敗だよね、というのが度合いとしては残ると思う。

確信犯でいく場合の「配慮事項」がいくつかあるのでしょう。今後、みなさんがどこかで確信犯をやることがあると思います。やらないでいけるほど人生楽ではないので、やると思うよ。そのときのために、授業のこのタイミングで「確信犯でいくときの心構え」というのを挙げてみようか。

A｜まず、忍者というか、子飼いで信頼がおける人を組織の中に投げ込む。そこから情報をとって、今状況はどうなっているかということを、ちゃんとわかって進めていく。

高木｜スパイのことですね。

A｜そうですね。

高木｜日本語なら、お庭番っていうやつだと思う。お庭番で通じる?

A｜忍び。

高木｜忍びですね、忍者です。江戸時代に徳川幕府が、各地の藩の様子を調べるために、忍者を送った。あれをお庭番っていいます。国際的にはスパイですね。腹心というかもしれない。

B｜自分の仲間になる人に憎まれ役を演じてもらう。その人の雇用や環境を守るという約束をした上で、組織の中で憎まれ役になってもらう。

高木｜演技してもらう。

B｜ はい。

高木｜快く演技してくれるといいね。憎まれ役を。

B｜例えば自分がマネジャーだとして、みんなの前でその人にはすごくきつくする。演技だというのをお互いわかっているので、結構大胆にできるかもしれません。それを他の社員にしてしまうと辞められてしまう可能性があるので、そういう憎まれ役を仕込んでおくのもありかな、と思います。

高木｜憎まれ役をさせられた人いますか?とはちょっと聞かないでおきます(笑)。必要だという話は、何度も聞いたことがあります。スパイの必要性も聞いたことがあります。

C｜確信犯で進めるのであれば、自分の本意というか真意を決して出さないというのが基本じゃないかと思います。例えば今回のケースで、もし計画的に辞めさせたのであれば、辞める人に対して、悔しがったり、泣いたり、残念だと思うという「逆の感情」を出していく。

高木｜演じるということですね。他にないですか。

D｜僕が思ったのは、確信犯に徹するのであれば、覚悟から生まれる非情さみたいなものは持っていないといけないということです。例えば中高年の社員の生活や家族のことを考えると感情に流されて、やろうとしていることが揺らぐんじゃないでしょうか。そうならないように、やると決めたら覚悟を持って、非情な決断になったとしてもやりきることが大切だと思います。

髙木｜確信犯として改革を進めることは、経営の世界では実際にあることなのですが、組織論の分野で研究エビデンスが挙がっているかというと、データが取れないために論文はないと思うんです。確信犯として行った人が、もし話してくれたとしても、事が過ぎて何年も経ってからでは美談に変わってしまうのです。現場を押さえないと研究はできないという意味では、研究はできないんですよ。

ただ、現実問題としてみなさんが確信犯で仕事しなくちゃいけない場面はあると思います。一つだけお伝えしておくと、確信犯をやるときには、こちら側に、体力と精神力がないと続きません。非常にストレスがかかるからです。人間って、思っていない行動を、あたかも思っているかのようにしていると、大きなストレス状態に置かれてしまう。それが何年も続くとなると、体に良くないんです。それでもやっていけるだけの体力や精神力がないと、確信犯なんてとてもできません。

▶吉田氏の「信頼性の構築」について議論する

髙木｜次は「信頼性の構築」について議論をしたい。言い方を変えたら「正当性」かな。吉田さんは「信頼を得る」ということにおいて、ちゃんとしたステップを踏んだのか、ないしは単に「オーナーの息子」ということだけで進んでいったのか？　吉田さんは入社当時30歳です。若造っていったらかわいそうなんだけど、全体から見たら若いですよね。この人が、その信頼性あるいは正当性を獲得していく。これは何も吉田さんに限らず我々何でも同じだと思います。初めてどこかの組織に加わって、信頼を得ていくというプロセスがありますよね。吉田さんは、信頼を得るというプロセスにおいて、ちゃんとしたステップを踏んだのか、そうではなかったのか。

A｜私は、吉田さんは確信犯で改革を進めたけれども、失敗したと思っているんです。その失敗の理由が、信頼の構築の部分だと思っています。自分で実績を積んで、少しずつ信頼を得ていったというそのプロセスはいいのですが、リストラクチャリングを発表したのが取締役になったのと同時期くらいでした。これがまだ早かったのではないか。時間軸の問題にもなるのですが、経営的に傾いている状況でもなかったので、例えば常務になって1年後であったり、社長になって社員との信頼構築ができてから同じことをしたのであれば、結果は変わってきたのではないかと思います。

髙木｜社長になってからでも間に合った。

A｜はい。まだこの状態では従業員からするとただの王子様でしかなくて、リーダーではありません。そう考えると、ステップは良かったんですけど、時間軸としてはちょっと早まったかなという印象を受けます。

髙木｜ケースの中には、事業が非常に悪化しているように読めるものはありませんね。

A｜はい。

B｜信頼を構築していくために、下働きのようなところから入って、ちゃんと現場のアシスタントや営業担当をやって、その上で自分でデータベース化などを実行した。当初周りの印象は、「何やってるんだ、ボンボンが」というところでしたが、だんだん理解を得られるような形に変わってきた。そういうステップを踏んでいるところはいいと思うんです。

ただ、結論はAさんと同じで、段取りをちょっと間違えたのではないかと思います。社長のコミットを引き出すとか、そういったことをしていなかった。私はどちらかというと吉田さんは確信犯だと思っていて、「最終的に人が辞めても仕方ない」というところでリストラクチャリングも計画したと思うんです。ただ、うまくできるような立ち位置に自分が行く前に、順番を間違えて実行してしまったのではないかと考えます。

髙木｜物事の順番を間違えないというのは、すごく難しいと思います。間違えるほうが簡単じゃないか。後になってみて、その間違った点がわかるので、最初にそれが間違いだとわかることは、なかなか難しいよね。

C｜私は、変革のステップとしては正しかったと思っています。さっき2人とも言っているように、小さな成功を積み重ねて、しかも自分が率先してやっていき、成果を出した。そして2割ぐらいの人たちが味方についたところで、この大きな改革をやっている。これは成功だと思います。「社長になってから」というお話もありましたが、社長になってから同じ改革をした場合にもその15人は結局辞めたんじゃないか。会社を変えること自体に反発していた抵抗勢力がいたのであれば、早めに改革を進めたほうが他の人への影響は少ないと思います。

D｜社長を巻き込んでやったら良かったのかもしれません。

高木｜社長の影が薄いよね。

D｜年齢層が上の人たちは、社長の言うことだったらまだ信頼を置いて話を聞けたんじゃないかと思います。

高木｜社長は親父さんですよね。この方は、先代もそうだったらしいのですが、ほとんど業務をしないできているので、その下に番頭さんがいることになるんですよね。そういう構図です。でもやっぱりこの社長さんを、吉田さん自身も動かしてもよかったよね、というご意見はあると思います。

F｜権力基盤をつくる正当性について考えていたのですが、それは権威的なものからなのか、実力的なものからなのか。「跡取り」というのは権威的なところですが、吉田さんは実力というところで準備をしてきたのでしょう。社内の支持を20%も取り付けることができたのは、実力があったからではないか。30歳で、普通これだけのことができるのかと考えると、実力は備わっていたのだと思います。権威的な部分だけでなく、実力に支えられた正当性を持っていたのだと思います。

高木｜30歳の実力って、どれくらいのものだろうね。もちろんばらつきはあるだろうけど。例えば演技力。思っていることをそのまま素直に外に出すと、人間社会では良くないことのほうが起きやすいじゃないですか。そうすると、本当のことと表面に出ていることを使い分けるという意味で、演技力が必要だよね。きっと標準的な30歳の男性の持つ演技力というのは、50歳の男性が持つ演技力とは違いますよね。どうかな？　30歳に実際に一番近い人に聞いてみようか? Gさんは?

G｜28歳です。

高木｜28歳か。今の話を聞いていて、どう思った?

G｜僕も二世経営者というか、跡取りなんです。多分親の会社で吉田さんと同じことはできなかった。なぜかというと、番頭さん的な人たちを辞めさせるということが非常に困難だからです。今まで会社にいた人たちを辞めさせてもいいというジャッジを、少なくとも勝ち取るということは難しいですし、リストラに着手するということは自分に実権がない限りはできない。ですから、吉田さんがこの段階でできたのは良かったことだと思います。完璧ではなかったという評価にはなるかもしれませんが。

▶質疑応答

高木｜質問があれば、どうぞ。

A｜経営者というのは、「確信犯」という言葉もそうですが、腹黒い「タヌキ」にならなければいけないものなんですか?

高木｜もし経営者トップを1000人集めたとしましょう。そうすると腹が「白」から「グレー」、「黒」までグラデーションになっていると思うんです。その分布は、どちらの方向に多いか?　データがないのでわかりません(笑)。ただ腹黒い人はゼロではありません。何人ぐらいなのかは統計調査がないのでわからないが、世の中を見渡したときに、倫理規定違反や会計監査で引っかかる人は出てきますよね。実数として、腹黒い人はゼロではない。

　では、ご自身が経営者としてトップに立つときに、腹黒くならなきゃいけないかというと、そんなことはありません。グレーになってしまいそうになったときに、今日の授業を思い出してくれるといいかなと思います。

A｜はい。

B｜先生はリーダーシップという側面は、企業経営においてどういった場面で最も発揮されるべきだと思われているのでしょうか?　例えば社員の幸福のためにとか、先ほど出たように会社存続のためにとか、リーダーシップを発揮すべきコア的な部分は目的に応じていろいろあるとは思いますが、絶対にリーダーシップが大事だというところはどこですか？

髙木｜進路を変えなければいけないときだと思います。このまま行くと不利益が生じる、不幸が生じるときには、航路を変えなければいけないじゃないですか。この航路を変えるときに、関わる人、社員全員の幸福と不幸の分布が変わるんですよ。それまで幸せだった人と、それほど幸せじゃなかった人の分布が変わります。

もちろん今まで通りまっすぐ行っても、幸・不幸の分布はあります。しかし、角度を変えることによって、この分布が変わるんですよ。角度を変えてこっちへ行ったほうが、みんながもっとハッピーになるという絵を描いてやらなければいけない。そのとき、リーダーシップが重要になる。

ただ、それをもってリーダーシップと呼ぶかどうか議論し出すと、リーダーシップの定義論になるので、リーダーシップという言葉は使わなくてもいい。だから、もし別の言葉に置き換えるとすれば「意思決定」になるでしょう。最終的に意思決定をするのは、経営トップです。誰も相談する人はいませんよ。

C｜組織が大きくなればなるほど、最終意思決定者のところに、正確な情報が届きづらい状況が起きます。自分が上に情報を上げるときに悩むのは、忖度した情報を持っていくべきか、事実をそのまま持っていくべきかということです。また、自分がもし上の立場に立つときには、上がってきた話は疑って聞くべきだと思っています。情報はある程度脚色されていて、その脚色は部下にとって都合の良い感じの化粧がされているという目で見ていかなくてはいけない。現実に、ご機嫌取りのための情報や忖度された情報がたくさん上がってきていると感じています。将来、上の立場に立ったときにはどう振る舞えばいいのかということを、これから学習しなければいけないでしょう。

髙木｜忖度される側とする側がありますよね。忖度ではなくても、上に情報を上げるときには、上げる人の身の安全や周りへの配慮があるために、「ありのまま」ではなく若干理解しやすいような形になってしまうのは世の常ですね。だからいずれ自分が上の立場に立つということを勘定に入れながら日頃動いていないと、自分がその立場に立ったときに同じようなことが起こったらうまく対応できません。次の人がそれをやるわけですからね。ですから、話が上がってきたときに、引き算ができないといけない。あるいは、さっきスパイという言葉があったけれども、腹心みたいな人に情報の確認ができるネットワーク、人脈を、上の立場になる前に持っていないといけない。つまり「信頼性の構築」という言葉に集約されると思う。この人のやっている仕事、この人の言っていることは信頼できるという信頼の紐がいっぱいつながっている社長っていますよね。

▶次世代後継者のリーダーシップ

（理論編で述べた）「職業アイデンティティ」の図表5をもう一度確認しておきましょう。アイデンティティはどうやって形成されるかということをマーシャという心理学者が分析しています。

図表5 ｜職業決定のメカニズム

出典:J.E.マーシャ「職業アイデンティティ」

	職業アイデンティティ	（人生の）危機	職業の決定
①	アイデンティティ達成	経験した	している
②	モラトリアム	最中	しようとしている
③	早期完了	経験していない	している
④	アイデンティティ拡散	経験した／未経験	していない

ここで使われている「モラトリアム」という言葉はみなさんのイメージとは違う意味で使われています。②の「モラトリアム」は、「人生の危機の最中にある人が、職業決定をしようとしている最中」にあることです。自信がまだ持てていない人のことです。みなさんがイメージする「決められずに

フラフラしている」という意味では、④のアイデンティティ拡散が近いはずです。

マーシャは、人生の危機、すなわち修羅場経験が、職業アイデンティティの確立の上で重要だとしています。すでに経験したのか、その最中か、未経験なのかで、職業アイデンティティの決定のレベルが変わってきます。

この理論の中で、中小企業の跡取りさんが分類されやすいのは③の早期完了です。人生の危機を経験しないうちに、職業が決定され、ある意味覚悟も持ってしまうからです。今回の吉田さんは③ではなく①に入るのではないでしょうか。家に戻ってきてから人生の危機を経験し、本当の意味で跡を継ぐ覚悟、アイデンティティ達成がなされています。彼も修羅場を経験して、跡継ぎとしてきちんと仕事ができるようになりました。

この図を見ながらみなさんご自身がどの状態にあるのかと考えてもいいし、みなさんの上司や部下がどのカテゴリーに当たるかを考えてみるのもいいかもしれません。

第3講 2日目午前　再建プロデューサー村井勉の手法

事前予習設問

1　村井氏の会社再建（組織変革）の手法はどのような要素からなっていたと考えるか。ケースは時系列で3つの事例を述べている。それらを一貫する村井氏の手法といえるものがあれば抽出する。

2　村井氏が担当した変革はその当時のそれぞれの企業の問題に対処したものである。事例ごとに村井氏は若干なりとも手法を変えていたと考えられるなら、それはどのような点か、なぜ変えたのか。組織変革の一般手法ですべての事象に対応できるかどうか、という視点で考えよ。

3　3つの企業において村井氏は外部者としてのトップであった。外部者であることの強み弱みはどのようなことか。仮に内部出身者のトップが行うのであれば、その強み弱みにはどのようなことがあるか。特に内部出身者の弱みについてはどのような補強が必要か。

CASE

▶村井勉氏の横顔

村井勉氏は福岡県小倉の生まれで、小学校時代に大分県出身の担任の先生から「わるがね（大分弁で悪童のこと）のツトムちゃん」とあだ名をつけられたほどのガキ大将であった。昭和17年、東京商科大学（現一橋大学）を卒業後、住友銀行へ入行。業務第二部長、取締役総務部長を経験した後、昭和48年4月、常務に昇格。常務時代は東京営業部長を兼務しながら、主に三井物産や日産自動車などを担当。有能な営業マンとして、その実力を高く評価されていた。

村井氏は、機を見るに敏というか、大変な知恵者、策略家である。大柄で、そのうえ声が大きくて、一見すると横柄な感じに見受けられた。しかし、実際のところは、細かいところにまでよく気が行き届き、親しみやすい。この親しみやすさを買われて、まずは東洋工業（現マツダ株式会社）へと派遣されたのであった。

第一の舞台　東洋工業の再建

東洋工業は、広島という都市に根ざした県下最大の企業である。広島県下で、その家族を含めたグループ全体で約20万人の人々が、その生活を東洋工業に依存しているばかりか、工業出荷額は県全体の20%を超えた時期もあり、広島経済の中核をなしていた。それと同時に、県民の象徴的存在でもあった。しかし、この昭和50年当時の東洋工業の経営状態は、決して安定してはいなかった。同年6月、メインバンクである住友銀行の融資第二部（住友連合軍）は、「再建五ヵ年計画」を策定し、住友銀行の命令として東洋工業のトップマネジメントに対してかなり厳しい態度で提示していた。そうはいっても、住友連合軍としても、地元の広島県民の反感を買うような荒療治はできなかった。さりとて、手ぬるいことをしていたのでは、再建のチャンスを逸して、いっそう信用不安をかき立てることとなりかねない。

そこで、住友銀行は、

「混乱を一日も早く鎮静化させるためには東洋工業へ“駐留”して、内部改革をすることが最も賢明な策である。しかし、そのためには東洋工業の労使は言うまでもなく、地元財界人の協力を取り付けながら、再建計画を指揮できる“司令官”が必要である」

という結論に達し、その人選にとりかかった。この“司令官”は、再建計画をスムーズに展開していく上で極めて重要な役割を果たすだけに人選は慎重に行われた。白羽の矢が立ったのは、当時住友銀行常務であった村井勉氏であった。昭和50年12月10日の午後、村井氏は、当時会長の堀田庄三氏から、その電話を受けた。

村井氏は一瞬、カァーッとなった。それはまったく予想もしていなかったことであり、気が動転したからである。しかし、銀行の人事に「NO」はない。冷静さを取り戻した村井氏は、

「わかりました。お引き受けいたします」

と答えて頭を下げた。そうして村井氏は、住友銀行常務から最高司令官として、東洋工業の代表権付の副社長として派遣されたのであった。

▶村井氏の想い

村井氏の東洋工業入りは惨たんたるものであった。正月早々、風邪をこ

じらせてオーバーコートに身を包み、悪寒に耐えながら車で着任するという、最悪のコンディションだったのである。2階の談話室に案内され、そこで東洋工業首脳陣と接見した村井氏は、まずこう叫んだ。

「取締役は経営者であれ！」

村井氏自身に“占領意識”はなかった。東洋工業を再建するという危機意識のほうが強かった。村井氏は、元旦には必ず、京都の岩清水八幡宮に参拝することを習わしにしていた。この年参詣した村井氏は、「東洋工業の再建」を祈願していた。さらに村井氏は、着任前に夫人を伴って広島を訪れ、マンションの契約を済ませると、その足で厳島神社を参拝し、ここでも「すべてが順調に行きますように……」と祈ったのであった。

しかし、村井氏を迎える東洋工業はもちろんのこと、広島財界人の目は冷たかった。村井氏は、1カ月前の12月、創立70周年の記念品を持って広島を訪れ、約30軒の得意先を回った。そのとき、地元の財界人から「あんたは東洋工業の実情を知りたくて、スパイしに来たのか！」とさんざん嫌味を言われていた。このときのことを回想して、村井氏は次のように話している。

「まさに私は、進駐軍と見られていましたよ。だから、こちらが誠意を込めて話をしても、果たして100パーセントわかってもらえるかどうか、不安でならなかった。堀田さんからは、たまには土俵を飛び出せ。ただし、すぐに帰って来いと言われました。自信と勇気を持って事にあたれ、ということなんですね。また、浅井（孝二）さんが頭取を辞められるとき“向こう傷を受けた人の責任は問わない。会社のためにやったことなら、失敗しても首にはしない”と挨拶された。実に名言だねぇ。私の心を支えてくれたのは、これですわ」

村井氏は、師とも仰ぐ2人の大先輩の言葉に勇気づけられて、東洋工業の再建に乗り出していったのである。

▶再建に向けた組織改正

村井氏をはじめとする派遣部隊は、当時の東洋工業における問題はワンマン経営であるとしていた。まず昭和51年8月、怪情報や悪宣伝が飛び交う中で、広島本社にあった広報部の主力部隊を東京支社へ移した。それは、当面の企業・商品イメージアップ作戦の展開、および今後のマスコミ対策と、中央情報をスピーディーかつ的確に収集するためであった。

ついで翌年の昭和52年3月には、経営の近代化を図る目的で組織改革を敢行した。有名無実化していた常務会の機能を強化し、会社の最高意思決定機関としての位置づけを明確にした。同時に常務会の事務局ならびに会社全体の総合的な計画立案・調整を行う社長室を新設し、組織の一元化を図った。旧体制の垂直機構を水平機構に改めて部門間のセクト主義を排除、住友銀行式合議制経営を導入して、これまでのワンマン体制に大きなくさびを打ち込んでいった。

▶新社長の誕生

その頃住友銀行は密かに次期後継者選びの行動を起こしていた。そして、昭和52年10月期の決算取締役会において、社長の交代が決定された。新社長には、住友銀行でも伊藤忠商事からでもなく、東洋工業の生え抜きの山崎芳樹専務が昇格をした。

この当時の従業員の心中は決して穏やかではなかったようである。

「どうせ山崎社長は、住友銀行の手のひらで回らざるを得ないコマのようなものだ。住友銀行から来た副社長が昇格すれば、住銀としても後へ引けないのに、山崎さんでは、押し込められてしまう」

しかし、当の山崎氏は、そのようなつらさは当然覚悟をしており、ともかく会社の体制を整えることを最優先に考えていた。

「要は、何が東洋工業のためになるのか、これを考えることが経営の要諦であり、出発点ですからねぇ。それにはまず、しっかりとした目標を定める。そして、目標が定まったら、基本通り忠実に実行することです。基本をマスターしたら、改善すべきものは改善し、常に他よりも一歩早く、一歩よけいに動くことです。企業社会というものは、組織を持った競争ですから、この組織をいかにうまく動かすか、これが大事なところだと思うんです」

「僕は技術屋ですから、物事をあまりドラマチックに考えんのですよ。ただ、すべて順序よく、割り切って考えている。割り切らんと、物事は何もできんですからねぇ」

▶ボトムアップを重視

社長室の前田市郎氏は、旧体制と新体制の基本的な違いについて次のように回想をしている。

「旧体制のときは、トップダウン的な色彩が強かったと思うんです。そのために、社員は言われた通りにやればいい。言われんことはやらんでもいいんだ、と受け身になってしまった。企業にとっては大きなマイナスでしたね。これに対して新体制では、とにかく衆知を集め、集団志向を求めています。従来のトップダウンではなく、下から積極的に意見が出てくる仕組みにしなければならないということで、ボトムアップを重視し、これからは君たちが会社を良くしなければいかんのだよ、という動機づけをやりました。これが、どん底から這い上がる大きな力になったと思います」

▶組織行動の変化

以前の東洋工業では、経営会議の場として、月曜会議・常務会議というものが存在していた。しかし、その中身たるやワンマン社長の独演会的なものがほとんどで、他の重役たちが意見を述べることはほとんどなかった。今回、再スタートをした常務会は、運営方法を根本的に改めて、合議制に切り替えられた。メンバーが担当部門以外のことでも自由に意見を述べ、アイデアを出して、最終的に山崎社長が決断を下すというシステムをとっている。

また常務会の下部機構として、部長会を設置した。これも、従来存在していた部長会議を新しい常務会の運営に伴って改めた。ここでは、常務会に提案する案件の審議と、常務会で決定されたことを実践に移すという役割を担っている。

この他には、業務会議というものもある。以前からあったものであるが、各業務の実態をトップ層に理解してもらうコミュニケーションの場として重要だということで存続したものである。

これらの常務会・部長会・業務会議の調整役が新設された社長室である。当初は調整役であった社長室は、その業務範囲を拡大され、常務会の執行機関として位置づけられ、経営計画の作成、予算管理、組織づくりにまで及んだ。

その結果、トップマネジメントの風通しが良くなっただけでなく、役員レベルはもとより、部課長段階でも責任体制が確立されたことによって、トップのポリシーが明確に伝達され、会社全体が有機的に動けるようになってきた。

「住友グループから派遣されてきた人たちは、いずれも一定の見識を持っておられる。この人たちとプロパーを交えて、常務会が動き出したわけですが、みんな遠慮なく、よう意見を述べてくれる。大変いいムードですよ」

山崎氏は、わずか9カ月ですっかり常務会のリーダーになりきったのであった。そして、新体制1年目の成果が数値として表われた。売上高・利益ともに大幅に向上をしていた。販売増加とコストダウンの効果によるものであった。また、資金ポジションも改善されつつあった。

東洋工業の再建対策を推進していく過程で、住友連合軍とプロパーの意見が衝突したとき、常に調整役を務めてきた副社長の村井氏は、これまでの3年間を振り返って次のように評している。

「これだけやれたということは、東洋工業のメンバーはもともと優秀だったからですよ。世界的に日本車ブームが巻き起こり、ブームに乗れたという幸運もありますが、これだって、新商品を開発して素早く対応できるだけの潜在能力があったからです。後は、徹底的に訓練して、さらに全体の質を向上させ、きっかけをつくってやれば、我々（住友のメンバー）がいなくなっても、十分やっていけるはずです」

これを契機にして、あらゆる分野にわたって全社的な“学習”が始まっていった。

この当時、住友銀行は、最大で9人の人材を東洋工業へ送り込んでいた。住友銀行としても全力を投入しての再建であったことがうかがえる。またこのとき、フォードとの資本提携交渉を本格的に再開し、昭和54年11月、フォードが東洋工業に25%を出資、資本提携が成立した。

住友銀行の常務のまま東洋工業の副社長として派遣されていた村井氏は、昭和55年1月、住友銀行に復帰、専務に昇格してこれまでの疲れをいやし、その後、副頭取へと昇格した。

第二の舞台 アサヒビールの再建

住友銀行の頭取であった堀田庄三氏が心配をしていた企業は、東洋工業だけではなかった。アサヒビールもそのうちの一つであった。住友銀行は、昭和46年2月からアサヒビールへ社長を送り込んでいた。住友銀行からするとアサヒビールは、資本面では旭化成・第一生命についで3番目にあたる企業であったが、どちらかというと人間的なつながりが濃いという特殊な結びつきがあった。

村井氏にとっては、東洋工業から戻りほっとしていた頃である。当時の頭取である磯田一郎氏に呼ばれることとなった。「今度は、アサヒビールに行ってほしい」と要請をされたのであった。「あそこはマツダ以上に大切なところだから頼むよ」と念を押された。当時のアサヒビールの状態からして、もしもだめなら、銀行にもアサヒにも、残る土俵はなかったといえるほどの重要な任務であった。こうして、村井氏は昭和57年3月に、住友銀行から派遣される3代目の社長として、アサヒビールの再建に取り組むこととなったのである。

当時のアサヒビールの状態は、いくら一生懸命に努力をしても結果が出せない。出せないどころか、逆に業界シェアを落とすばかりという大変な状況にあった。当時のビール市場はキリンの寡占市場で、そのマーケットシェアは、約63%と圧倒的なものであった。ついでサッポロが約20%を占め、アサヒビールは第3位で約10%であった。また、ビール市場自体も成熟市場となり、業績を伸ばしていくためには競争他社のシェアを奪っていくことが最良の策と考えられていた。

そもそもビール業界は極めて保守的であった。特に「味」についてはその行動が顕著に表れていた。このため各社の製品戦略は、デザインやサイズの変更に偏っていた。またその変更の回数も頻繁であった。固くなった消費者の財布の紐を緩めるためには、このように目先を変える知恵以外のアイデアは出なかったようである。

アサヒもそれなりに頑張ってはいたものの、かつての名門意識（戦後、朝日麦酒（現アサヒ）のシェアは業界2位。トップの日本麦酒（現サッポロ）との差はわずかであった）がかなり強く、足腰が弱い企業であった。業界の他の企業もアサヒをそのように見ていた。

▶技術陣と販売陣の対立

村井氏はアサヒに着任後、あることに気づいた。技術陣と販売陣の対立の図式が、東洋工業のときとほとんど同じということだ。製造部門は「販売が弱いから売れない」、販売部門は「もっと売れるビールをつくれ」と製造にタテついていた。

そこで村井氏はまず、社員の頭をすっきりさせることから始めた。それは「経営理念」づくりであった。続いて「総合的品質管理(AQC)」とCI(コーポレート・アイデンティティー)に取り掛かった。AQCは本来TQCと呼ばれているが、アサヒの「A」を使いAQCと呼ばれた。

AQCの取り組みは順調で、全国の工場をはじめ各職場で多くのサークルが生まれ、周辺の仕事の見直しが始まった。効果が挙がった理由の一つに、横のつながりを重視したことがあった。村井氏は横のつながりを持たせるために、部課長に組合専従者を加えた600人を6組に分け、3泊4日の合同研修を実施した。これまで話をしたことがない製造と販売の現場の人たちが、一緒に風呂に入り、酒も飲む。これまでの悪口の言い合いや、セクショナリズムの反省が自然な形で出始めてきた。

もう一方の取り組みCI活動のほうも、社員の頭を柔軟にし、発想の転換を進めていく上で役に立った。この活動の中心は、FS(ファイア・ストーム)委員会と呼ばれる、CI導入準備委員会である。この委員会は、1年の月日をかけて中間報告をしている。それは、お互いの知恵をぶつけ合い、絞りあげてつくった社風刷新のカルテである。その内容の骨子は以下の通りである。

第一に、アサヒは個性が弱く、存在感が薄い。企業イメージの統一と個性化のコンセプトを設定する必要がある。

第二に、社内体質に一本筋が通っていない。社員一人ひとりはよく働くが、総合力に欠ける。経営目標を明確にし、全社の意思統一を図らねばならない。

第三に、社会に対するコミュニケーションがうまくできていない。アサヒの主張をもっと強烈に打ち出すべきだ。

幹部社員でありながら、会社を批判し好きなことを言っている。しかし、村井氏はこれをすんなりと受け入れた。それはこの報告の中に、アサヒビールを再建していく上で、大きな収穫があったからである。社会とのコミュニケーションをテーマに討議をした中で、

「企業が、社会と一番強くコミュニケイトできる媒体は、商品ではないか。ならばビールの味とラベルを変えて、アサヒの新しい主張をそれにぶち込めばどうだろう」

という、痛烈な意見が飛び出してきたからであった。昔のアサヒビールであれば「お前は正気か?!」と叱られるのがオチであっただろう。しかし、村井氏の就任以来、社内の空気は確実に変化していた。「いよいよ佳境に入ってきたな」と村井氏は感じていた。

AQCやCIづくりは順調であった。だが営業は一日も休むことができない状態であった。そこで、村井氏は、営業第一線の士気を高めるために、アサヒビール生え抜きの人材を積極的に活用した。メーカーの営業は、その会社で育った人間が熱心になって初めて全体の活力が出る。バンカー出身者は、その引き出し役に徹すればいい。これが村井氏の信条である。アサヒ育ちの営業人材による強いリーダーシップの発揮で、社内のやる気も、盛り上がりを見せてきた。

▶味の変革、ラベルの刷新

営業の積極的動きに始まるアサヒビールの変身は、まず味の変革から始まった。それには、次のような経緯があった。社内において「アサヒビールに対する信頼度調査」を実施したところ、販売員（営業）よりも製造する技術者のほうが点数の低い結果となった。

しかも当時アサヒビールは、盛んに合理化運動をしていた。「電気を消せ」「報告書は一枚にせよ」などである。生産部門も例外ではなく「原料の節約」を口やかましく言っていた。そして生産と営業の若手社員を選んで議論させた結果、アサヒビールは採算性放棄宣言をするに至った。

「好きな原料を、好きなだけ、世界中を巡って買ってきて、最高のビールをつくれ!!」

技術者たちにとっては、まさに腕の見せどころ。発奮せずにはいられない状態であった。ここからアサヒは変貌を遂げていく。大規模な消費者調査を行い、アサヒの技術陣は、「コク・キレ」ビールの開発に突き進んでいった。

この開発の中で、以前の責任のなすりあいという行動は姿を消していた。技術者たちが営業にテイスティングを依頼してきたのであった。営業も自分の舌や喉で参加したものをお客さんが評価してくれなかったら、即自分たちの責任につながる。双方共に真剣であった。この瞬間から全員が、「お客さんの求めるビールをつくろう」という意識でつながったのであった。

味の次は、「ラベルの変更」が問題であった。マークとロゴタイプの刷新である。これは大変神経を使う作業である。ラベルはビールの顔である。古くからなじみのある顔を変えるのには、勇気と決断を要する。CI委員会によるマークを変えようという提案については、社内外に大きな波紋を呼んだ。

昭和60年9月21日、アサヒビールは社史に残る会議を持った。それは、改革に踏み切るのか、やめるのかを決定する場であった。事があまりにも重大であったため、慎重論がまた顔をのぞかせ、会議は長時間に及んだ。当時の営業本部長すなわち現場の指揮官の中條高徳氏がついに発言した。

「うちのマークは100年続いた歴史と伝統のあるマークだ。これを見れば、誰だってアサヒビールだとすぐにわかる。そのマークを変えることは、失敗したら立ち直れない。だから、みんなが慎重になるのはわかる。しかし、もう堂々めぐりの議論をしていても仕方ないじゃないか」

村井氏が「では本部長はこのCIをやれというのか」と尋ねると、場の空気が一瞬緊迫した。

「ええ、現在のマークでは革新は不可能です。ラベルは変えるべきです。新しいラベルについて実施された消費者調査の評判はいい。味を変え、ラベルも一新する。いまこそやるべきだし、大丈夫、いけると思います」

中條氏は、先般の消費者の意識調査の結果の悪さから、そんなイメージの悪いバッジや商標を使っていたのでは、最終市場においてマイナスにこそなれ、プラスにはならないと考えていた。彼らは「勝つ」ために、色彩学までも学び、最も好感度が高く、かつ見えやすい「白・青・赤」の3色を使ったものを用意し、消費者へ意識調査をしていた。

「そうか、本部長がいけるというのなら、やろうじゃないか」

この瞬間、経営会議の断は下され、CIは正式に採用された。波型マークに代わり、新しいロゴタイプのCIマーク「Asahi」が決定した。サイはついに投げられた。

▶村井氏という人物

中條氏は、このときのやり取りと村井氏という人物について次のように語っている。

「一見するとあのときの発言はアバウトのようですが、考えてみれば、これは最大の勇気だといえます。というのも、仮に失敗したら、非難を受け、その全責任をとるのは、他の誰でもなく、社長である村井さん自身にほかならないからです。私はその真の勇気に感服しました」

「その村井さんが、ただ一つ強くその必要性を説いたのは『経営理念』です。アサヒビールの変革は、村井さんのそうした大局的方向づけによって実行に移されていったといえるでしょう」

「村井さんは、アサヒビール以前にマツダの再建に取り組んだ経験があります。その折、労働組合から『帰れ』と罵声を浴び、それでも『まあ、一緒にコーヒー飲もう』と言って労組の事務所に入っていったという話を仄聞しました。実際、そういうことが自然体でできる人なのでしょう」

「村井さん自身の哲学は『無執』だと言います。物事にこだわらない。自分を売り込んだりはしない。その人柄の爽やかさは、まわりの人たちをみんな村井ファンにしてしまわずにはおれません。私もそのうちの一人です」

「これまでの銀行から来た人たちは、生ビールへの路線変革を訴えると、『数式で示せ』と言わんばかりの指示をするのが常でした。つまり、自分たちの業務管理、経営管理の手法を、そのままあてはめようとしたわけです。しかし、数字だけで表せないものもあります。『生』への信念を数字で表すことはできないでしょう。ところが、村井さんは違いました。そういう体質を持った銀行の副頭取まで務めた人であるのに……。もちろん、数字は重視します。質すべきは質し、議論すべきときは議論するという人なのです」

▶社員全体を巻き込んだ「ニューセンチュリー計画」

将来に確かな夢を持つ。その夢を実現する力が「生」にあるのだと信じる。これを全員が共有し、創業100周年に向けて、ベクトルを合わすことができたのは、「他利」を目標の中核に織り込んだこと、計画の策定に中間管理職を巻き込んだこと、「自分たちの夢」を毎朝唱和する、という3つの要素があった。

中間管理職の活用は、会社の理念の策定にまで及んだ。また、売上の五カ年計画、経営理念を実施するための「行動指針」・「行動規範」

も中間管理職に立案させた。そして、「自分たちの夢」を唱和することで、何かが変わってきたと社員みんなが気づくことができたのは、大きな成果であった。

▶苦渋の人員整理

アサヒビールは、まさにどん底から這い上がっていくこととなるが、その一方で、心を残しながら去っていった多くの従業員たちがいた。昭和56年に行われた、440人の人員整理である。このリストラを中心となって推し進めたのは、取締役人事部長の渡辺格氏である。渡辺氏は439名の解雇を労働組合に提案すると、予測したよりも素直に受け入れられた。そして、経営側の一人として彼自身が440番目となり、会社を去っていった。

▶「スーパードライ」の爆発的ヒットとシェアNo.1への道

昭和61年（1986年）1月、アサヒビールは新「アサヒ生ビール」を完成させ、同時にCIの導入を発表して本格的な戦いの日を迎えた。東京と大阪の2会場で全営業を集めての「決起大会」が行われた。この時点では、すでに組織のベクトルは合っていた。しかも、自分たちでその味覚を確認し、納得したビールの販売である。「絶対に勝てる」という想いに変わっていた。この大会は熱気に包まれていた。

そして、この新ビールは全国で一斉に発売された。その結果は、全ビールの伸長率の3.8倍という成績をあげた。これがアサヒビールのよみがえりの第一ページであった。

味覚をよりキレに振ったビールを追求した結果生まれたものが「アサヒスーパードライ」である。この新商品は記録的な数量を売り上げたのであった。そして、シェアートップの座に上りつめていくことになる。住友銀行にとっても、アサヒの活性化は悲願であった。それが成就した瞬間であった。

第三の舞台 西日本旅客鉄道株式会社の設立（日本国有鉄道の分割民営化）

それは、村井氏がアサヒビールの会長職に就いて間もなく1年が過ぎようとした昭和62年2月17日のことであった。村井氏がいつものようにアサヒビールへ出勤したところ、関西財界の2、3人から電話が入った。その内容はJR西日本の会長就任に対する意向の打診であった。その直後に当時の運輸大臣橋本龍太郎氏（後に総理大臣）から電話がかかってきた。用件は同年4月1日に日本国有鉄道（国鉄）から分割民営化される中の一社である「JR西日本」の会長職への正式な就任要請であった。

国鉄は、昭和62年4月1日に、JR北海道・JR東日本・JR東海・JR西日本・JR九州・JR四国とJR貨物の7社に分割民営化がなされた。各社とも地域密着型の企業を目指して設立された。当初株式は100％政府の保有であった。

村井氏はこの要請に対して、一言「お任せします」と言った。そしてあっさりと「JR西日本の会長」に決まってしまった。昭和62年4月1日、資本金1000億円、従業員5万1000人の新しい鉄道会社『西日本旅客鉄道株式会社（以下JR西日本）』が他の6社とともに誕生し、その会長の座に村井氏はいた。

JR西日本には本州の他の2社（JR東日本、JR東海）との決定的な違いがあった。それは、「経営基盤が弱い」ということであった。JR東日本は首都圏という絶対的な強みを持ち、JR東海は東海道新幹線（東京～新大阪間）を持っていた。JR西日本も近畿圏と山陽新幹線（新大阪～博多間）を持っていたが事情が大きく違っていた。首都圏と近畿圏の違いは人口の差のみならず、国鉄と私鉄の競合状態の厳しさという差を持ち合わせていた。例えば大阪と神戸（三宮）では、国鉄・阪急・阪神の3社が並行して運行されていた。この区間のみならず主力となる区間には共通して見られる現象であった。一方、首都圏の鉄道は整備されて設立されてきており、このようなところはあまり見受けられなかった。新幹線の収益比較でもJR東海が管轄することとなる区間の収益に対してJR西日本が管轄することとなる区間の収益は半分以下となっていた。その上に国鉄時代の複雑で、官僚型の組織がのしかかってくる。村井氏は就任直後から積極的に行動をとることとなった。

▶経営理念を全員参加でつくる

会社が分割民営化され、社員は不安と迷いの中で、進むべき方向を模索していた。そのような中で村井氏は、経営理念の制定から改革を始めることを提案した。「全社員に経営への参加意識を持ってもらう」ために、全社員が参画する形で取り組まれたのであった。

最初に行われたのは「全社員へのアンケート調査」であった。「今までどういう点が悪かったのか」「今後どういう会社にしたいのか」といった内容のものであった。このアンケートの回収率は、98.5%に及んでいた。

これと同時に進められたのが「グループ・ディスカッション」である。主に現場の管理・監督職以上の中間層を対象に、全体を345のグループに分け、それぞれが「会社はどうあるべきか」「自分たちのあるべき姿」「会社の事業領域」などについてそれぞれが納得のいくまで議論がなされた。

このアンケート調査とグループ・ディスカッションの結果を基礎データとし、全役員へのヒアリング、労働組合委員長、有識者へのインタビューなどが加えられ、経営理念と行動規範とをつくり上げていった。

村井会長が経営理念をつくる上でこだわったことが2つある。1つは「全員が参画すること」、そしてもう1つは「JR西日本の経営理念をつくること」であった。JR西日本の名を他の会社に入れ替えても同じになるような案を村井氏が認めることはなかった。そしてわずか3カ月後に経営理念は完成した（図表16参照）。

完成した経営理念と「ハート&アクション」の名前で呼ばれる行動指

針は、村井会長の経営哲学を表すものともいえる。村井氏の持論は「会社の活性化の第一条件は顧客第一主義に徹することだ」というものである。これは東洋工業でもアサヒビールでも実行されてきた。「顧客第一主義」は村井経営の原点なのである。

もう一つ経営理念には特徴的な言葉が含まれている。それは「労使相互信頼のもと」という言葉である。国鉄時代の労使間の関係とは格段の違いがある。

▶トップ自身が意識改革の先導者となる

村井会長をはじめとするトップ3人は、会社の発足直後からエリア内の各現場を精力的に見て回った。あるとき村井氏は、「ありがとうございました」という声が出ない駅員に対して、改札口のボックスを靴で蹴り「なぜ声を出さないのか!!」と叱った。またあるときには、あまりにも汚い駅のトイレを見て、思わず「爆破しろ!!」と口走ったこともあった。神戸駅を訪れたときには、駅長室のシャンデリアがほこりまみれになっているのを見て駅員に尋ねると「20年以上も掃除をしたことがない」という。早速、掃除をさせたが、このようにともかく汚れきっていたのが現実であった。つまり「お客様本位のサービス」という経営理念の趣旨には到底かなわない現実があったわけである。

このようなことから、駅のリニューアルが行われる一方で、本社の部課長を中心とした自主的な会である「駅をよくする会」が生まれた。そうしてお客様本位のサービスのあり方を実践していくのであった。

▶お客様の声を聞くことがサービスの第一歩

お客様本位のサービス、という経営理念を実現するために、お客様の声を聞くことが実行に移された。「キク象コーナー」というお客様からの意見、要望、苦情、問い合わせなどに応える役割を担う対面式のコーナーが8カ所の駅に設けられた他、420の駅には「キク象ボックス」が設置された。また「キク象コーナー」の声を経営に生かすため、事務局である広報室に集まった要望・意見は体系的に集約・整理され、各部の総務担当の課長、室長などで構成される「お客様の声検討チーム」で検討した上で、経営会議に報告され、実施可能なものは施策として取り上げられていった。

▶理念を実現するための組織改革

JR西日本では発足後から、3年間かけて「組織こわし」を実行している。1年目の「組織こわし」は一大王国を築いていた「近畿圏運行本部」の廃止であった。これは本社の鉄道事業本部と近畿圏運行本部の上下重層的な管理構造を解消するために実施された。そして、その権限と指揮・命令の管理範囲を鉄道事業本部の中に吸収し、本社直轄の組織に改めたのであった。この組織改定によって関西圏の現場では、同時に違った種類の弾が飛んでくることもなくなった。また、近畿圏運行本部の下で混乱に巻き込まれていた和歌山、福知山地区も晴れて独立した「支店」(支社)となった。こうして京阪神地区は本社の「直轄」として治められることになった。

2回目の「組織こわし」は、昭和63年10月に実施された「新幹線運行本部」の輪切り解体であった。新幹線は、もともと在来線などとは別の輸送体系なので、これが本社の中で独立した機能を持っていることは、それなりの意義があった。しかし、JR西日本が運行する山陽新幹線の実態は、各地に足をつけて走っているにもかかわらず、組織上は本社に腰を据えていたため、どうしても「大阪を中央」と見立てた「大阪中心の発想」になるという弊害を起こしていた。「新神戸駅には『ひかり』が停まらない」「新岩国駅には『こだま』ですら1時間に1本の割合しか列車が停まらない」などということが実際に起こっていたのである。このような状態ではとうてい地域に根ざした経営とはいいがたい。そこで「新幹線運行本部」を本社(直轄)と岡山、広島、福岡の各支社に地域を区分して引き渡したのである。

このような大胆な組織改革はあらゆる方面で行われた。

▶村井会長の組織論「かき回すほど味が出る『ヌカミソ論』」

村井会長はJR西日本の組織について、

「国鉄には115年の伝統があります。いわゆる規律とか基盤というようなものです。民営化したら、その枠の中から出てきなさいと言うのだが、なかなか出てこない。だから言ったのですよ。お前たちは地グモだ!! 平素は穴の中にいて、何か事があると、チョコッと出てきて、顔でチャンチャンとけんかをする。それでまた、すーっと穴に入ってしまう。交わりがないんだなあ。地グモの穴の中にある組織はタテ割りでしょう。そうすると自分に関係のないことについては、知らない、という顔をするのですよ。それをどうやって壊していくかですね。かつてのマツダ、アサヒビールでもそうでしたが、とかく会社が古くなると、中の組織は、風が通らなくなっているのですよ。しかもタテ割りですからね。JR西日本もマツダで経験し、アサヒビールで経験したのと、よく似た土壌でしたからね。ははぁーん、だから西日本もこうなるんだと思いました」

と言う。

「漬物は、かき回せばかき回すほど味が良くなる。ああ、これはかき回しながら忍耐だ!! いい味に漬かってくるまではね。組織も、かき回せばかき回すほど味が出る。つまり活力が生まれる。人も外の空気に触れないと、天狗になってくるんだ」

組織をかき回す行動は村井氏のみならず角田社長、井手副社長さらに他の取締役層のメンバーにも転写されている。

▶新たな価値観「そんなものいらない」

「そんなものいらない」という考え方は、JR西日本の仕事に対する新しい価値観であり、新たな尺度のようなものである。今自分たちの行っている仕事は、果たして、それが切符を買い、満員電車に乗り込んだ顧客にとって、どれだけの意味があるのか。つまり「そんなものいらない」というのは、顧客の声でもある。「そんなものいらない」という価値観に基づいて本社では事務改善が実行され、社員の意識にも変化が見え始めた。書類、貯蔵品、在庫などの削減がプロジェクトを中心として取り組まれた。不要書類の山はトラック32台分にも及んだ。事務関連の改善はOA化とコスト意識を植え付けることをも狙っていたのである。

JR西日本の発足から数年間を振り返って村井会長は、次のように述べている。

「マツダは再建に4年、アサヒビールは5年かかった。JR西日本の場合は完全に民間企業の体質になるには10年はかかる。社員の質そのものはいい。素直な人間も多い。そういった点では、将来が楽しみな会社といえるのだが、長年、国鉄時代に染み付いた体質はそう一朝一夕には変わらない。よく旧ソ連の仕事ぶりを評して、雨の日に散水車で水をまいて、これで俺の今日の仕事は終わった、という話が引用されますが、JR西日本マンにもそういった『ことなかれ主義』の傾向がある。また中間管理職になると『ヒラメ族』が多くなる。上ばかり見ている。だいぶ変わってはきましたけどね」

民営化、すなわち「国鉄の常識」から「世間の常識」へと変えていくという、この『意識改革』にトップは最も心を砕いたのであった。

図表11 | **東洋工業の経営理念**

出典：「マツダの現場改革」日本能率協会編 日本能率協会 1984

経営理念

マツダは新しい価値を創造し人々の喜びをひろげます。

1. お客様に喜ばれる商品づくり
2. のびのびと活気あふれる気風
3. 信頼を生む豊かな国際性

図表12 | **東洋工業（マツダ）の主要数値の推移**

出典：「マツダの現場改革」日本能率協会編 日本能率協会 1984

年度	昭和50年	昭和58年
売上高（百万円）	496,500	1,364,200
経営利益（百万円）	-17,300	45,200
生産台数（万台）	64	133.8
従業員数（千人）	33.3	27.4

図表13 | **アサヒビールの経営理念**

出典：「ポケット社史アサヒビール」経済界「ポケット社史」編集委員会 経済界

経営理念

わが社はビール事業を主体とし、酒類、飲料、食品、薬品
不動産及びこれ等に関連する分野において、
常に　・品質を最優先する
　　　・お客様の心に応える
行動に徹し
社会に信頼され、限りなく発展しつづける企業をめざす。

グッドカンパニー、オンリーワン企業となるために…

メーカーである限り、商品が評価されなければならない。食品である限り、おいしさで評価されなければならない。おいしさを実現するためには、原材料に経費を惜しんではならない。そして社会の好感と共感を得るためには、つねに謙虚で礼儀正しい会社でなければならない。

図表14 | **アサヒビール 売上の推移**（単位：百万円）

出典：「ポケット社史アサヒビール」経済界「ポケット社史」編集委員会 経済界

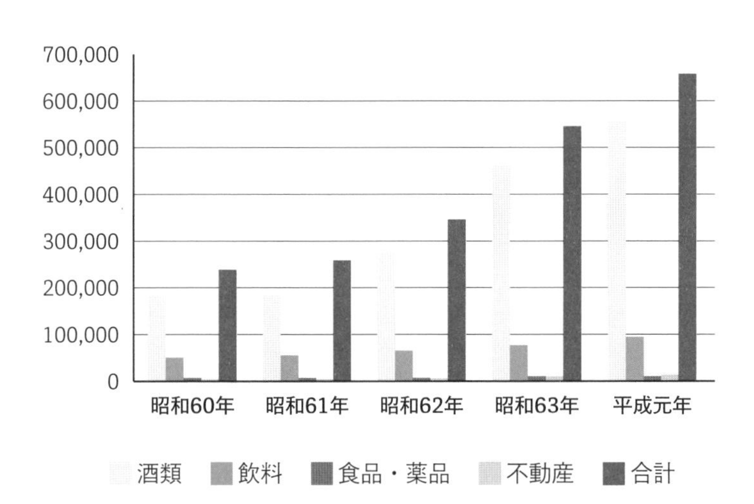

図表15 | **ビールの各社別市場シェアーの推移（%）**

出典：「ポケット社史アサヒビール」経済界「ポケット社史」編集委員会 経済界

	昭和55年	昭和56年	昭和57年	昭和58年	昭和59年	昭和60年	昭和61年	昭和62年	昭和63年	平成元年
キリン	62.4	62.9	62.3	61.4	61.7	61.4	59.7	57.1	50.8	48.4
アサヒ	**11**	**10.4**	**9.9**	**10.2**	**9.8**	**9.6**	**10.4**	**12.9**	**20.6**	**25**
サッポロ	19.6	20.1	19.9	20	19.8	19.7	20.7	20.5	19.8	18.2
サントリー	6.9	6.7	7.8	8.5	8.8	9.2	9.2	9.5	8.8	8.4

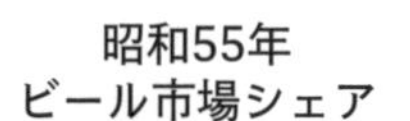

平成元年
ビール市場シェア

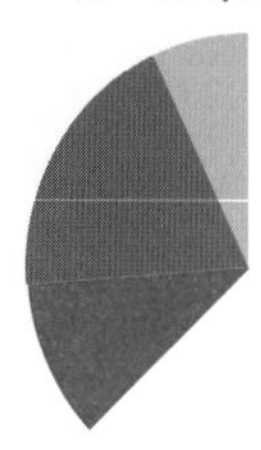

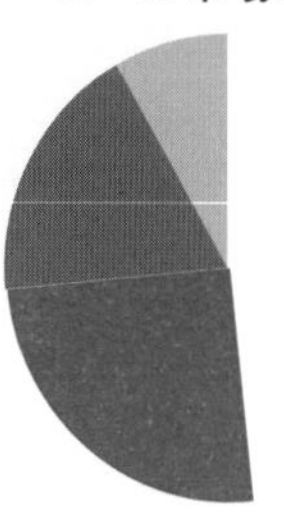

キリン　アサヒ　サッポロ　サントリー

図16 | **JR西日本の経営理念**

出典:JR西日本ホームページ

JR西日本は、人間性尊重の立場に立って、労使相互信頼のもと、基幹事業としての鉄道の活性化に努めるとともに、地域に愛され共に繁栄する総合サービス企業となることを目指し、わが国のリーディングカンパニーとして、社会・経済・文化の発展、向上に貢献します。

— ハート & アクション —

1. 安全・正確な輸送の提供
私たちは、安全、正確な輸送に徹し、お客様に信頼される輸送サービスを提供します。

2. お客様本意のサービス
私たちは、お客様に感謝し、お客様の立場で考え、お客様のニーズを先取りし、心のこもった最高のサービスを目指します。

3. 会社の発展は自らの幸せ
私たちは、あらゆる機会をとらえて売上の増加に努め、常にコスト意識を持って業務の効率化を図り、会社を発展させ、自らの幸せを築きます。

4. 規則正しい、明るい職場づくり
私たちは、自己研鑽に努め、豊かな感性と燃える情熱をもって、あらゆる目標に果敢にチャレンジします。

5. 同業他社を凌ぐ強い体質づくり
私たちは、常に創意工夫に努め、同業他社を凌ぐ強い体質づくりに、持てる力の全てを発揮します。

図表17 | **JR西日本 営業実績の推移**

出典:JR西日本ホームページ

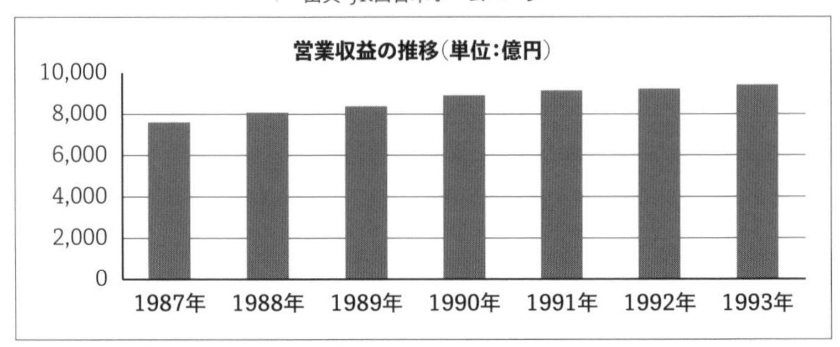

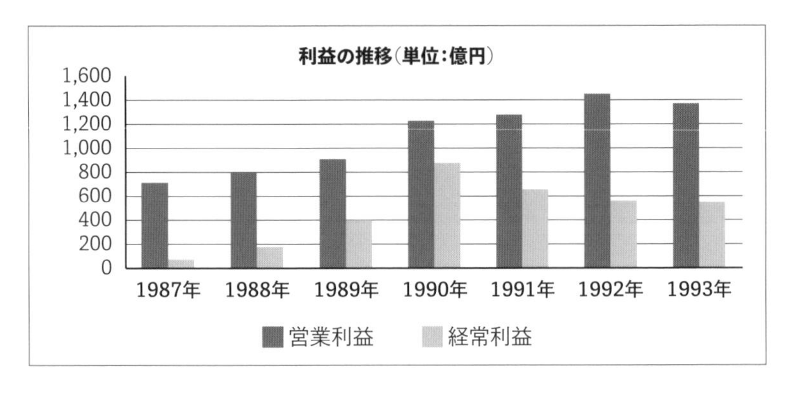

注

このケースは、著者の承諾を得て原ケースを短縮したものである。原ケースは、以下に示す文献をもとに、慶應義塾大学大学院経営管理研究科教授髙木晴夫の指導の下、同修士課程M25期生の丹徹也が編集して作成した。

参考文献

山本治 『マツダの復活　東洋工業再建の軌跡』 株式会社自動車産業研究所、1983年

中條高徳 『兵法に学ぶ　勝つために為すべきこと』 経済界、2002年

近藤弘 『住友銀行　七人の頭取』 日本実業出版社、1988年

山元敏行 『JR西日本　鉄道ルネッサンス』 オーエス出版、1990年

宮本惇夫 『JR西日本が変わる』 日本能率協会マネジメントセンター、1993年

慶應義塾大学ビジネス・スクール教材 『アサヒビール株式会社』

DISCUSSION

高木｜それでは始めます。村井さんが3社でどんなことをやったかというところをみなさんに聞いていきます。その方法に何か共通項があって、みんなにとって、「これは使える」というような一般的なものがあるんだったら、それも出しておけばいいと思います。じゃあ、いこうか。左の黒板を東洋工業（マツダ）、真ん中をアサヒビール、右の黒板をJR西日本にしますね。

▶3社に共通した村井氏の改革手法

A｜最初に目的や理念を明確にして、会社の存在価値をみんなに知らせたことは、3社共通ではないかと思います。

高木｜目的、理念、存在価値。そういったものだね。

B｜顧客第一主義ですね。やはりお客さんのほうを向いて、サービスをする。

C｜垂直ではなく「水平の方向の意識を持たせる」ということが、共通した視点かと思います。組織の中で、ですね。

D｜「社員に自信をつけさせる」具体的な方法として、人材の登用をしています。マツダの社長にはプロパーを就けていますし、アサヒビールは役員や営業本部長にプロパーを登用しています。JR西日本はおそらく「全社員参加型」といってもいいかなと思います。

高木｜全社員参加型。

E｜3社に共通なのは、企業再建にとって必要のない社内対立とタテ割り構造を解消したことかと思います。

高木｜「必要のない社内対立の解消」だね。

F｜コミュニケーションを非常に重視されておられると思います。特に興味深いことは社外に向けての情報発信。イメージ戦略といいますか。組織改革は社内で起こるんですけど、社外に向けて「自分たちはどういう人であるのか」ということを発信していったことが、とても興味深い。

高木｜まあ、今の時代でいったら、コーポレートコミュニケーションのことじゃないですか。かっこよく言ったらね。

G｜共通した部分は、「人間軸と技術軸」の両方に語りかけているというところが大切なのではないでしょうか。技術軸から話をすると、組織の構造面から変革をしています。そして、ワークショップや合宿などをして、組織の中におけるコミュニケーションループをきちんとつくり上げている。組織改革と経営理念のどちらかしかやらないということではなくて、両方やっている。ただしいていえば、経営理念に関わる人間軸のほうに重きをおいている部分が大きいかもしれません。

H｜Gさんの内容に付け足しますけど、その2つ「人間軸と技術軸」に関わる改革を行うタイミング、つまりどちらを先に手をつけるのか、はたまた一緒にやるのかがけっこう試されると思います。マツダの場合は、組織改革のほうが先にきていました。

高木｜順番として書いてみますね。マツダは組織構造面から理念面へ移った。これでいいですか。

H｜JRは逆なのかなと思うんですよ。

高木｜うん、JRは逆。理念から先に入った。

I｜アサヒビールでは、「夢」を唱和させたというのがありましたから、意識改革をまず定着させたのではないかと。

▶3社の改革の違いとは

高木｜村井さんは3つの会社の改革をしたわけだけど、改革における3社の違いとはなんだろう?

A｜売っているものやサービスの特性がけっこう違います。マツダだと「車」「燃費」「性能」など、わりと定量化できると思うんですけど、アサヒビールの「おいしさ」「味」は定量化が難しい。JR西日本だと完全にサービス業なので、「人の性質」が「印象」につながりますから、さらに定量化が難しいと思います。

高木｜アサヒビールは味ですね。JR西日本はサービスということですね。官僚度合いが高い会社なのに、サービス……これ、不思議な関係だと思いませんか？　すごくガチガチな官僚的な組織が、サービスをしているという（笑）。

B｜「現場に入り込む度合い」が違います。ボトムアップの度合いといいますか、どれだけ自然発生的に社員のほうでいろいろなことを始めているかという部分です。マツダ、アサヒ、JRの順でサービス業の度合いが高くなるので、前線で接している社員の重要性もその順で強くなります。

高木｜なんとなく、JR西日本の改革は道半ばで終わったんだろうという感じがありますね。ケースを越えたその後の福知山線の脱線事故のことを考えると。

C｜「現場に入り込む度合い」なんですが、「問題がどこにあるか」ということに影響するのではないかと思います。マツダはトップがよくなかったので、そこに村井さんが入った。ですから現場への入り込み度合いとしては「小」。

高木｜もともとトップが弱かった。

C｜アサヒビールについてはセクショナリズムということで、部門間に問題があった。村井さんは、部門間に注目して入り込むことがキーだった。JR西日本は、全社員的なマインドがよくなかったので現場に直接入っていったのだろうと思います。

D｜官僚のサービス業というのは、「殿様商売」みたいなマインドがあったのではないでしょうか。

高木｜わかりました。官僚がサービスするとどうなるか。今でもみなさん、殿様商売という言葉を使いますか？

D｜使います。

高木｜もうとっくに死語だと思っていました（笑）。

E｜「会社として守られている度合い」が、先生の黒板の右に行くにつれてどんどん高まっていく。マツダはつぶれそうという状況、一方西日本は国営でしたから。危機感が一番高かったのがマツダ、低かったのが西日本という状況で、村井氏は改革に入りました。

高木｜これは、民営度でいいですかね。民営度が非常に高い。アサヒビールは寡占。JR西日本は国営だった。アサヒビールは、税務署に生かしてもらっているんですよ。税務署はアサヒビールを滅ぼしたくないんです。だって徴税装置だから。酒税は税率が高いので、税務署としては徴税をしたいわけですよ。

図表18 | **3社の比較**

	マツダ	アサヒビール	JR西日本
1	組織構造面 → 理念	夢を唱和(理念)	理念から先に入った
2	もともとトップが弱いところに自分が入った — 現場に入る度合い　小	部門間のセクショナリズム(技術・営業) — 現場に入る度合い　中	前線の社員からのボトムアップを狙った — 現場に入る度合い　大 ←全社員のマインドが悪い(殿様商売)
3	民営度　高	寡占	国営だった

F |「社員がどこを向いて仕事をしていたか」というのがかなり重要ではないかと思うんです。マツダの場合は完全に社長を向いて仕事をしていたと思います。JR西日本はセクション主義で官僚主義ですから、基本的に上司のほうを向いて仕事をしている。そこに村井さん、つまり昔でいうと国鉄総裁が現場に来ることになった。これはかなり大きなインパクトがあったと思います。

髙木 | 雲の上の人が直接現場に降りてきたんだね。

G | 村井氏がいたポジションが、3社でそれぞれ違っていました。マツダの場合は代表権付きの副社長。つまりトップではなかった。アサヒビールの場合は社長でした。JRの場合は会長で、その下には運輸省出身の社長とプロパーの副社長がいました。重層的になっていたんです。ここからは想像なのですが、ポジションとしては最も現場から遠い場所にいる村井氏が現場に入ることで、その間の人々に現場への意識を向けさ

せるようにしたのではないでしょうか。村井氏は顧客主義をとっていましたから。

高木｜常識から考えたら、なかなかできるものじゃないでしょう。こんな人が現場に来たら、煙たがられますからね。

▶村井氏自身の成長

高木｜一つ質問をしましょう。村井さんの年齢がケースから見えてきます。マツダは1975年から、アサヒビールが1982年、そしてJR西日本が1987年です。だいたい5、6年ぐらい間がある。村井さんという珍しく優秀な人だって、年数を積むことで見えてくること、わかってくること、身についてくることがあったはずです。3社の改革に取り組んだ順番は、彼にとっても好都合だったかもしれない。そういった視点で見ると、大きくなってくるもの、広がってくるもの、見えてくるものがあったと思うんだよね。村井さんって、どう成長していったと思う?　それをちょっとみんなで討論してみようか。

A｜「調整役をどう使うか」という部分に村井さんの成長が見えると思います。どの会社でも、村井さんが「外様」であることには変わりないですから。意識改革をしていくときにマツダでは調整役として、山崎社長という自分よりもオーソリティのある人を使って、みんなに働きかけていきました。自分の正当性を、調整役によって担保していったと思うんです。

高木｜自分が調整役になるのではなく、山崎氏を使う。

A｜「山崎さんが村井さんを応援しているから、僕らも応援しよう」という構図をつくる。山崎さんはプロパーですし社長ですから。

高木｜山崎氏は内部者ですからね。

B｜アサヒビールは営業本部長の中條さんを、会社でいうと中間ポストで現場の代表の彼を調整役にして、上が言っていることと現場の意見とをうまく融合させていく方法をとった。村井さんが若干現場寄りに移動しているようなイメージを、社員たちに持たせることができたと思います。

高木｜中條さんは営業現場の方ですね。

B｜JR西日本に至っては、もういよいよ調整役もなしに、村井さんが現場に直接話しかける方法をとった。JR西日本も、民営化して、JR東日本やJR東海と比べて、私鉄との競争も非常に激しい中で、安泰だと思っていた足元がゆらいでしまったという不安が現場に蔓延している。その中で、村井さんが現場に直接言葉を届けることに意味があった。それは村井さん自身の成長があったからこそできたことなのだと思います。

C｜「覚悟の総量」と、その示し方が増していると思います。マツダでは組織人事に手をつけるくらいだったのに、JR西日本ではトップの役職に就いているにもかかわらず、末端の現場まで行って活を入れていますよね。村井さんの覚悟の示し方がずいぶん変わったのではないかと思うんです。テクニックとして、「自分がどう行動したら下が動くのか」という経験を積まれて、この形にたどりついたのかなと思います。

高木｜「覚悟の総量」って、どんなイメージ?

C｜覚悟というのは常に腹の中にあると思いますが、それを腹の中に留めておくか、人に見せるのかで、やり方が違う。JR西日本に関しては、トップが命がけで変えようとしているということを、「どうでもいいや」と思っている社員に示せたのではないかと。

高木｜一番上の人が命をかけている。これがメッセージとして出せる。

C｜そのとき、結構お年を召されていると思うんですよ。ものすごい役職の方で、現場からすると「何者なのか偉過ぎてわからない」ような立ち位置だと思う。そんな人がいきなり駅にやって来たら、煙たいと思うよりも先に「なんなんだ?!」という状況でしょう。しかも、感情的になって「なんで挨拶しないんだ!」と怒鳴ったりする。これはすごく衝撃的なシーンだと思いました。

高木｜現場の社員の反応は、「この人、なんだ!?」というものだと思います。村井さんはそういう反応が出るとわかっていて、あえて行っているんでしょう。

D｜「人間軸と技術軸」ですごく説明しやすいと思います。この2つのことをしなくてはならない中で、技術軸というのはある程度そのスイッチがわかっている。しかし組織を変えるために大事なポイントは人間軸なんです。ただ、人間軸に関しては「こうすればよい」という答えはない。そこを村井さんは、マツダ、アサヒビール、JR西日本と改革をしていく中で経験を積んでいった。人間を動かすためのカリスマ性を獲得していった。

E｜この3社で村井さんの立場が副社長、社長、会長と変わっていくときに、村井さんがどう成長していったのかというと、普通役職が上がれば、どんどん現場から遠ざかっていくと思うんですけど、3社を通じて逆に現場に近づいていっている。ここが、村井さんの成長というか、3社を通じて変わっていったところじゃないかと思います。

高木｜偉いなあって思いますか？　みなさん。これは大変なことだと思うよ。これをしない社長が世の中にどれほどたくさんいることか。

F｜3つのケースで変革に対する抵抗の要因がそれぞれ違うということと、それに伴って村井さんの責任の所在のあり方、とり方が変わってきているのが、村井さんの変革者としての成長の要因かなと思いました。

高木｜どういう要因？

F｜最初のマツダにおいては、銀行の息がかかっている人と、それ以外のプロパーの人たちとの間にコンフリクトがありました。村井さん自身が銀行から来た人でしたので、前面に出るわけにはいかなかった。逆にいうと、村井さんは前面に出る必要がない、つまり責任を全面的にとる必要がないという見方もできるはずです。

アサヒビールに関しては、中條さんと一緒に腹をくくって変革していこうとしている。自分も責任をとるということを、ほぼ明確にされていましたから。JRでは、完全に自分がトップに立って変革のイニシアチブをとっています。

G｜村井さんの立場の変化を考えてみたのですが、マツダでは常務で、銀行に戻ってくるルートがあった。村井さんとしては多分、アサヒビールで自分のサラリーマン人生は終わりだと考えていたと思うんですけど、そこにJRの話が立ち上がってきた。マツダについては自分がいなくなった後、経営をマツダの社員たちに維持してもらわなければなりませんから、自分が引っ張るというより内部の力を使わざるを得なかったはずです。一方アサヒビールは、最後まで自分が面倒を見ようと思った。ですから、自分がリーダーシップを発揮して引っ張るという意識が強く出ているのではないかと思います。

高木｜そうするとJRは?

G｜JRは、そういう意味では「青天の霹靂」だったと思うんですけど。

高木｜本当にそうだ。

G｜自分がやらなければ、もうやれる人間がいないという背水の陣で臨んだんじゃないかと思います。

高木｜私は村井さんご自身にはお目にかかったことはないのですが、このケースを書いたときには、村井さんの側近だった人と、直属の部長のような方から情報をいただきました。ものすごくフットワークが軽い方だそうです。なんでもすぐ動く。歩くのも走るのも速い。お供の人はいつも走ってついていっていたそうです。非常にお元気で闊達で、昔の運輸省の建物の階段を何段跳びかで上がっちゃうぐらいの方だったそうです。

▶外部者の強み、内部者の強み

高木｜今から、こんなことを考えてみたいと思います。みなさんがゆくゆく会社のかなり高いポジションに就いて、会社を変えるための職位上の権限とパワーを用いたとしたら、どのようにするでしょうか?　現在の自分の立場はわきにおいて、いずれかなりポジションが高くなった場合です。内心は「どうして自分がこんなときに社長になったんだ」と思うかもしれないけど、考えてごらんよ。順調だったら改革なんかいらないでしょう。改革が必要だということは、順調じゃないんだよ。そんなときに自分が内部者として社長になったら、というのを考えてみよう。

村井さんは外部者でしたよね。外部者であることの強み弱み、そして内部者であることの強み弱みがあるはずだ。きっと内部者のほうが「なんとかしなければならない」ということをうんと感じているはず。ここで学ぶみんなには、今のうちにそれを頭の中に描く時間を持ってもらいたい。

A｜大きい改革をするための人を、外部から招聘します。自分はあくまでも君主として上にいて、現場の指揮官として外から人を招く。内部の場合はしがらみがあるので、文句を言われる可能性がある。ですから、最初から会社の空気を読まない人を外から呼んでしまう。
高木｜外から人を呼ぶ。
A｜ただ社内の人間には、「私とうまく連携をとっている」ということは伝えておくことが必要ですが。
B｜人を入れるというのは僕も賛成です。内部出身者が代表になったときの問題は2つあって、1つは問題の本質に気づけないということ。そしてもう1つは気づけたとしても、変える際の抵抗が強くて軋轢が生じてしまうことです。その問題を回避するために、上と下それぞれに働きかけられる人を入れて、それを機能させるための組織をつくることが有効かと思いました。

C｜僕は2つ案があります。1つは社内で最も利害が対立しそうな人を、まず取り込むことです。内部者が改革をする際の一番のリスクは、裏切り者のレッテルを貼られてしまうことなので、それを避けるために、自分の改革から最もインパクトを受けて対立する人をまずなんとかする。例えば労働組合の書記長なんかをとり込めたら一番ですね。
高木｜労働組合の書記長をとり込む。
C｜もう1つの案は、改革そのものを人に帰属させないことです。外部の人がやる場合は、その人をシンボルとして改革を実行できるのですが、内部の場合は「自分」という人間を出さずにするのがいい。改革と人を切り離す。
高木｜具体的にいうと、どういうことですか？
C｜例えば交渉術のときによく出てくるのが、交渉事を議論の課題として、自分という存在をそこに出さない方法があります。
高木｜そういう意味ですか。「私がこう変える」ではなく、「こういう方法でいきます」「ここで制度変更します」というふうにするわけですね。

高木｜会社をダメにした犯人は誰か、それにはみなさん興味はありませんか？「犯人探し」って言葉あるじゃない。人間の性(さが)だと思うよ。犯人を探し出そうという人間の欲求はすごく根深いものがあります。「原因は犯人だ。原因は変えられる、そうすれば改善できる」という発想があるので、原因を探そうとするのだともいえるでしょう。私の家に小学校2年生か3年生の孫の友だちの男の子が遊びに来たときに、鉢植えが割れていたのに気づいたんだよね。それでその子が何を言ったかというと、「誰がやったの？　犯人は誰？」。小学生でもう、犯人探しの発想が出てくる。犯人や原因を消去すれば、幸せな生活が待っているということになる。そういう発想が、すごく人間には多い。普段は気づかないけどね。

D｜グループワークのときに出た意見があります。倫理的には微妙な部分がありますが、社内で悪役を仕立てて、その人にすべて罪をかぶせるっていうやり方があるのではないでしょうか。その場合、事前にその人とは退職金を高くするなど合意形成をしておいて、最後に去ってもらう。そこまで折り込み済みでミッションを与えるというのもあると思います。

高木｜ナンバー2の仕事は泥をかぶることだという話は、多くの方から聞いています。ナンバー2は悪役になる。そのときにナンバー1が「不幸な人事になるけど、金銭的に不自由な思いをさせないから」と言うわけですね。こういうことを言われたという人も言ったという人もいます。そういう場面はケースに書けるくらいの数はある。

高木｜みなさん、さっき触れましたが、みなさんの今の職位、ミドル的な職位で、一部に加わるということはもちろんあるにしても、全社改革を全面的に自分が担うということはないでしょう。でも今日は「全面的に責任を負ったら、改革のために何を動かすのか」というスコープを、在学中に持たせたいというのが私の授業の狙いだったので、できるだけ大きく広げて考える機会を持ってもらいました。

第4講 2日目午後 「組織文化を変える」を目標にしてはいけない

事前予習設問

1 | 企業勤務の経験の中で、あなたは「この会社の文化を変革しなければ業績の向上は望めない」という「文化→業績」の考え方をしたことがありますか。もしあれば、それは具体的に、どのように悪い文化で、どのように悪い業績でしたか。開示できる範囲でいいので、教室で共有させてください。

2 | そのときに、あなたが「文化→業績」の考え方をしたのはなぜですか。あなたはなぜ「業績→文化」の考え方をしなかったのですか。

3 | HBR論文の4人のCEOは「業績→文化」の考え方で経営改革をしました。彼らはなぜ「文化→業績」の考え方をとらずに、「業績→文化」の考え方をしたのでしょうか。それぞれのCEOの人物的要因と、企業の組織構造的、経営環境的要因とを考慮すると、あなたはどのような意見を持ちますか。

CASE

*この授業では通常のケースの代わりに論文（「組織文化を変えるを目標にしてはいけない」、ジェイ・W・ローシュ他著、Diamond Harvard Business Review、September 2016）を利用した。本書では論文の代わりに、髙木による論文の解説を掲載している。

このHBR論文は教務からすでに配布されて、事前に読んで予習をしてきていると思います。通常のケース教材と違って論文なのだけれど、4名の経営者の事例が載っていますので、ケースメソッド授業の教材にしました。

これらの経営者は業績を改善するために文化を先に変えるという手法をとりませんでした。文化以外に、経営者だからこそ先に操作できる「経営のレバー」がある。文化ではなく、経営課題を選んで改革し業績を向上させました。彼らは「文化は変えるものではなく、業績向上に取り組んだ結果として変わるものだ」と言っています。

それを実践した事例を4つ見てみましょう。アメリカという国は共通しますが、4人は異なる経営経験を持ち、それぞれ異なる産業の企業を立て直しました。

先に4つの事例を簡単に復習しましょう。

▶ダグラス・ベイカー｜エコラボ

エコラボの「エコ」は、地球環境のエコロジーという意味でなく、資源利用での無駄を省くエコノミクスの意味からきています。「ラボ」は技術開発のラボラトリです。中でもこの企業は特に、水や食料、エネルギーの効率的で安全な使用を実現する技術を開発し、さまざまな企業に提供するのが経営目的です。

2004年に業務用衛生製品メーカー「エコラボ」のCEOに就任したのは、ダグラス・M・ベイカー・ジュニアです。彼は「収益を3倍にする」という目標を立て、そのために企業の買収をしていきました。彼は2014年までに約50社を買収したといいます。世界各地に関連した事業をやっている会社があって、それを買収していったんです。

M&Aが50社にものぼると、収益は3倍、社員は2倍になりました。しかし、買収した会社が多いと、買収された会社には「のっとられ意識」が残ります。「買収はされたが、自分たちの仕事は自分たちでやります」となり、融和が難しくなります。経営層は買収した会社から来るのですが、中の人はそのままですからね。シナジー効果が上がらないことが多々あるのです。ベイカーは、この「囲い込み意識」「原住民意識」に直面します。

また買収によって、組織は非常に官僚主義的なものに変化してしまいました。意思決定者が顧客と接する時間が減って、本来の顧客中心主義の文化が蝕まれてしまった。お客様の求めに即座に応じて、新技術を提供するのがこの会社がしてきたことだったのに、それができなくなってきたんだね。

普通、このようなことが起こると、経営者は官僚主義的になった文化を顧客中心主義的な文化に戻すという「文化変革のステップ」を行おうとします。しかし、ベイカーはその手法はとりませんでした。彼が何をしたか。彼は、経営意思決定の権限を、より顧客に近い従業員に委譲するという方法をとった。つまり、現場に意思決定させる、ということをやったんです。お客様からの注文をいちいち上に上げないで、いくらまでだったら自分たちで決定していいよ、というようにしたのです。

ベイカーは、文化を先に変えなくても、権限委譲ができればかえって仕事がしやすくなる、と考えたわけです。「顧客を大事にする」という言葉を使って、現場に予算を含めた権限委譲をしたのですね。

このようにしたことで、従業員たちは顧客のニーズに自ら気づき、行動するようになったそうです。マネジャーたちも、現場に任せられるようになった。信頼関係が構築されたんですね。ベイカーはさらに、「どのような人物が会社に必要か」ということを形で示しました。1つは「昇進」、もう1つは「公の場での表彰」です。

このような取り組みが功を奏して、エコラボでは、現場の人たちがお互いに連携するようになったといいます。会社への信頼度も上がった。現場の人間が意思決定者となることで、顧客中心主義を取り戻すことができたんです。その変化の中で、従業員と会社にも信頼関係が生まれました。ベイカーはこんなふうに言っています。

「買収された企業の従業員たちが、新しい会社をすぐに愛せるわけではありません。それには時間がかかります」
「むしろその従業員が仕事ですぐに必要な意思決定ができるように、権限委譲することが彼らには大事なのです。仕事で成果があげられるのであれば、彼らは会社を愛せるようになります」

この発言、みなさんはどう思いますか？　文化を先に変えるのではなく、業績を変えるという方法をベイカーはとりました。実際このようなルートをとる経営者は、あまりいないんです。
次は航空会社です。デルタがノースウエストを合併したときに起こったことを見ていきましょう。

▶リチャード・アンダーソン｜デルタ航空

これは強烈な企業買収でした。デルタ航空のCEO、リチャード・アンダーソン就任後すぐ、2008年に起こったことです。デルタがノースウエストを買収したのですが、言うなれば「救済合併」です。ですからノースウエストの社員は「被買収民族」の意識になります。乗っ取った親会社、デルタを愛せるわけがないのです。まず、自分たちはレイオフされるかもしれません。安心して仕事をすることができなくなりますよね。

このような意識を放置しておくと、航空会社は特にまずいんです。なぜかわかりますか？　多くの人の命に関わるようになるからです。飛行機のような機械は、マニュアルの通りにチェックをしているだけではダメなんですよ。

なんというか、動物を飼うような気持ちで接していないと、ちょっとした不調に気づけないからです。毎日、手でなでてみるとかね。そうやって、飛行機を愛する気持ちがあると、ちょっとしたヒビに気がついたりするんです。みんながその飛行機に愛情をもっていないと、事故を未然に防ぐことはできません。

新会社にはノースウエストの名前はなくなり、デルタとして存続しましたから、もちろん飛行機の機体にも「DELTA」と書いてあるわけです。この飛行機をノースウエストの社員にも愛してもらわないといけないんです。

アンダーソンは、このような状況で、文化に手をつけるのではなく、具体的な制度を変えることにしました。福利厚生と給与に手をつけたんです。理念ではなくてね。働く条件を良くして、仕事と報酬の結びつきを明確にしました。だからノースウエストの社員たちは、合併後、お給料が良くなったはずです。持ち株のプランも改善しました。直接的な経営のレバーを引いたわけですね。福利厚生や給与、ボーナス、持ち株など、目に見える制度的なところに手をつけた結果、アンダーソンは2社の文化を融合することに成功しました。ノースウエストの社員は、デルタの文化に染まることになったのです。

3社目はフォードです。破綻ギリギリだったフォードの再生はどのように行われたのかを、確認しておきましょう。

▶アラン・ムラリー｜フォード

フォードは1990年以降、25%近くもシェアを低下させていました。ムラリーがCEOに就任した2006年頃は、倒産寸前です。キャッシュも底を突きかけていたんです。

その頃のフォードは、車種ごとに事業部があって、販売チャネルも違いました。「開発して、作って、売る」ということを、それぞれの事業部が別々に行っていたんです。大衆車、高級車、SUVなどに事業部が分かれていました。事業部ごとの縄張り意識が強くて、対立さえしていたそうです。

ムラリーは幹部が集まる定例会議を開くことにしました。会社が大変なときには、毎日開いたそうです。最初、幹部の人たちは「すべて順調」と報告していました。自分の評価が低くなったり、他部門から攻撃されたりしたらいやですからね。しかしこのような報告をムラリーは許しませんでした。きちんとマイナスを報告する幹部を良しとした。そのために、だんだんみんな話し始めるようになったそうです。この会議を繰り返し行ったことで、手遅れになる前に問題が見つかり、幹部の間でもお互いに助け合える土壌がつくられるようになりました。横のつながりができたんですね。

ムラリーがとった戦略は「ワン・フォード戦略」というものでした。バラバラだった世界中のフォードをひとまとめにして、合理化を進めたんですね。「グローバル責任者」を置くことで、製品開発、製造だけでなく、マーケティングにおいても、国境を超えて協力できる体制を整えました。

そして高級車ブランドも売却しました。合理化を進める中で、フォードは「大衆向けの高品質な自動車を生産する」という創業時の使命に立ち返ったんです。ムラリーは就任中に、5年連続の黒字を計上して、株価も大幅に回復させています。

アメリカは終身雇用ではありませんから、業績からというレバーが使いやすいという側面はあるかもしれません。

最後は製薬会社です。開発のために横の連携が必要とされた中で、どのようにその連携を生み出したのか。

▶ダニエル・バセラ｜ノバルティス

製薬業界は巨大化へ向かっています。新薬の発見頻度が下がってきていて、なおかつ巨大な投資が必要な新薬開発が増えてきたからです。その投資額に見合う分を回収するためには、大きくならざるを得ないという事情があります。

1996年、ノバルティスはサンドとチバガイギーの合併により誕生した会社です。バセラはこの合併を統括していて、その後CEOになりました。ノバルティスはこの頃、処方薬ベースの事業内容から、ヘルスケア商品を扱う方向に転換を図っていました。

開発の効率を上げるには、オープンイノベーション、つまりAの開発の仕方とBの開発の仕方をお互いが知っているとよいのです。開発におけるお金と時間の無駄が防げますから。ですから合併後、バセラは両会社の仕事の協力体制を早急につくらなければなりませんでした。

バセラは新たに評価基準をつくって「何が会社にとっていいことか」を従業員に示しました。これで従業員たちは社内の調整に時間を費やすのではなく、社外、競合他社や顧客に集中することができるようになったそうです。また権限を委譲することで、各部門の動きが敏速になり、創造性も生まれるようになりました。

このような新たな社内制度や基準によって、顧客中心主義と成果主義という文化が同時に育まれることになりました。つまり、評価基準の制定、権限委譲という具体的な取り組みが、文化を醸成するようになったということです。

DISCUSSION

髙木｜今日この授業で扱うのは、組織研究的にもとても興味深いものです。皆さんもビジネススクールの授業の中で、わりと頻度高く「文化を変える」という議論はしていると思います。先の村井さんのケースもそうだよね。それはそれで間違いないのですが、「文化を変えるのは何のため?」ということを突き詰めて考えると、結局は「文化を変えれば業績があがる」と考えるからです。「文化→業績」の順番ですね。私もそういう順番で考えていました。

それがあるとき、先ほど解説をしたこの論文を見つけたんですよ。まだ翻訳が出る前でした。そこに逆さまのことが書いてあったんです。「業績を先にあげると、文化はついてくる」。つまり「業績→文化」ですね。業績を先にあげるというのも、経営者としては実行オプションのうちの一つだということが、その論文に書かれていたわけです。

この経営的には斬新というか珍しいことを主張している論文をもとに、通常考える「経営の順番」とは逆のことを皆で討論したい。この4人の経営者がしたことは、誰も真似する人がいない変わったことなのかもしれないし、実は我々が知らないだけで、業績から入ることをやっている経営者は、世の中を探せば本当はたくさんいるのかもしれない。これは議論する価値がある題材だと思っています。

まずは文化について改めてお話をしておきます。組織の分野では文化の研究は、とても古くから行われています。1980年代ぐらいから、「強い文化」「良い文化」など、いろいろいわれてきています。定義はまちまちですが、ざっくり共通する見解を取りまとめると、広い意味での「ルール」が文化と呼ばれています。そのルールは、明示的なもので「この規則、この基準、この順番」でとなっている場合もあるし、暗黙のものも非公式のものもあります。古くから生息している、わざと「生息」って言うね（笑）、古くから生息している人たちは知っているけれど、新参者にはわからないものもある。あるとき、新参者がそのルールの地雷を踏んでしまって、それが爆発してひどい目にあってから、「ああ、こういうルールだったんだ」

というのがわかって、だんだん身についていく。その人が古参になって新人に伝えていく。そうやって文化が継承されていきます。これはもちろんルールという言葉でなくても、規則でも価値観でも何でもいいと思います。

新しく会社や組織ができるときに、文化の作用がよく見えることがあります。新会社の設立であっても、そのために集められてきた人が同じ社内の人間であったなら、もうすでに共通の文化を持っているので、同じように仕事は進行します。一方で、それを出資している会社から、役員なり部長なりがやって来たとすると、話が変わってくる。

私がなるほどな、と思ったのは、あるテレビ会社が設立されたときの出来事です。仮にA社としておきます。出資をしたのが複数の商社で、商社から役員さんや部長さんが入って、新しいテレビ会社がスタートした。すると、新たなテレビ会社なのに、商社みたいな動きをするんです。商社の文化を持った人たちが運営している会社なので、放送局や映像会社ではなくて、商社のように組織が動いてしまう。上の人が商社のことしか知らないからです。

そして、A社のスタート時、複数の商社文化が並存していて、組織としてはすごくガタガタしていて、なかなか足並みが揃わなかった。ニュービジネスにする上でふさわしい文化になっていたかというと、そうではない。このような事例は、新しく会社をつくる際によく出てきます。誰も悪意はない。たぶんね（笑）。

つまり、みなさんが自分に染みついている良かれと思うやり方で、組織経営をしようとするわけです。それは本当にそのビジネスにとってふさわしいかどうかという問いを立てていないわけです。「会社組織というのはこうあるべきだ」という自分に染みついたやり方で動き始めてしまうんですね。

▶文化は原因か結果か

高木｜文化というものが、業績の原因になるのか、結果なのかということは、よく考えないといけない。そして多くの場合、原因として考えられています。

それはそれでいいと思うんです。

ただ一方で、文化を変えるというのは、すごく大変です。価値観のような、個人に染みついているものにまで、文化は入り込んでいるからです。一番身近な小さな集団での文化というところでいえば、家族があります。家族ごとに、そのご家庭の成り立ちや日々の暮らしのルールがあって、いろいろな価値判断がなされている。それはもう空気のようなものです。

経営の世界では「文化→業績」という考え方が当たり前になっているので、今日のような逆さまの議論はきっとみなさんの印象に残ると思います。

設問（1）の「文化→業績」という考え方をとった経験に関してですが、「文化を先に変えよう」という考え方をみなさんもきっとされたことがあると思います。ちょっと聞いてみましょうか？　自分の仕事や会社の経営において、先に文化を変えるというロジックで物事を考えたことがある人はどれぐらいいますか？

ほとんどの人が手を挙げてくれました。だいたいそうだね。安心した。では、文化を先に変えるという発想はどうして出てきたの？　業績を先にあげるのではなくて、文化を先に選んだロジックを教えてください。

A｜業績というのは組織活動を行った結果だということです。その組織文化が要因となり、結果として業績となる。ですから先に要因である組織文化を変えなければ、結果となる業績は向上しないんじゃないかと思っていました。

髙木｜文化が先にあるものというわけですね。

A｜そうです。文化が要因になっているので、文化を先に変えないと、結果は変わらないんじゃないかというロジックです。

髙木｜はい、わかりました。書き方としては、文化は原因である。このほうがいいね。で、業績は結果である。こういう論理ですね。

B｜これはどちらかというと、長期か短期かで分けて考える必要があると思います。長期的な業績は、Aさんと同じように、原因にある文化を変えておかないと長持ちしないと思います。ただ、短期で物事を何とかしたいのであれば、直接業績に作用してやらないと、時間の余裕がないということがあると思います。長期的にサステナブルな会社にするためには、先に文化を変えないといけない。

高木｜「サステナブル経営」のためには文化が先、ということだね。

B｜文化を先に変えておかないと、業績が一瞬良くなっても、元に戻ってしまう。

高木｜長期的に企業が持続するために必要な文化がある。そういう意味だね。短期的業績の向上を狙うのであれば、業績に直接インパクトを与える。

C｜目の前にある文化が、いわゆる犯人に仕立て上げられてしまうことがあるのではないかと思います。今日のケースを読んで感じたのは、課題や問題を文化と切り離せないと、目の前にある文化が犯人、つまり原因とされてしまうということです。

高木｜文化と課題が切り離せないとすると、目の前の文化が犯人になる、ということだね。これが切り離せないのは誰ですか?

C｜MBA の学生ですか?（笑）

高木｜経営者、というより経営層にしておきましょう。複数いるはずなので。

D｜私も文化から変える必要があると考えていますが、「顧客や会社にとってよいか」よりも、経営者にこの提案は通るかどうかを先に考えたり、いかに怒られないようにするかというところを、経営層ですら考えている会社があるんですよね。結局その文化が、経営課題をつくってしまっている。経営課題を大きくしたり小さくしたりする文化がそもそもある場合は、その文化を変えない限り、経営課題がクリアになっていかない。結局このケースにある4つは、すべてトップが関わっているわけですよね。トップが文化を変えることができる一番大きな要因になるとは思います。

高木｜経営層ってミドルのことでしょう。文化を変えられる人、なおかつ業績も左右するのはトップ。業績をあげられるではなくて、左右する人ね。このケースの4人はCEOです。CEOが業績をあげたら、文化が変わりましたという流れだね。

E｜以前勤めていた会社なのですが、トップは代々天下りで、経営層は生え抜きの人で構成されていました。人事的な部分も文化の一つだと思うのですが、その会社は年功序列だったり、エンジニアで良い成績を残した人が経営層になるといった決まり切った人事を60年ぐらいやっていました。この文化を変えようとしても、先に業績があがっていると、問題意識を持たないんじゃないかと思います。業績を変えることによって文化が変わる面もあるかもしれませんが、業績があがってしまうと、逆に変えられない文化っていうのがある気がします。

髙木｜何もしなくても業績あがったよね、という意味でしょ。

E｜はい。「今の状態で何が問題なの?」というような考えになります。

髙木｜あると思います。今、目線を分けなければいけないと思いました。林先生のところでお話しした強いリーダーシップが成り立つのは、アメリカ的な文化の中で、だったよね。今Eさんが話してくれた人事というのは、終身雇用的な意味を持たせて言っていますね。終身雇用、つまりそこで働く人には雇用保障がある。アメリカは成果主義ですね。これは業績と直結しています。「成果主義人事」です。トップ経営者の権限が大きくて、左右できる世界があります。

F｜文化というのは実は非常に変えづらいものなのではないかと思います。グループ討議で文化について話題にしたのですが、「文化は変えやすいものだから、手詰まりになったら変えればいい、というふうに思いがちだけれども、文化を変えるのは本当に難しい」という話になりました。なぜなら「文化とは何か」という話をしたときに、ものすごく時間がかかって、最後までまとまらなかったからです。

髙木｜グループ討議の中で。

F｜そうです。ものすごく時間がかかった。文化といっても、それぞれが思い描いている文化が違うんです。同じ会社だとしても多分違うはずなんですよ。それを変えようとするのは、非常にリスキーなのではないか。形がないものですし、成果を出すのも難しいという話になりました。

髙木｜非常に困難。それはあるよね。

G｜トップが「文化→業績」という順で改革をすることには、すごくリスクがあるなと感じています。ある会社でトップが数年来、競合他社に勝つために「文化を変える」と言い続けているのですが、軽はずみな発言をすると「全然わかってないじゃないか!」と叱られるという形になってきているのです。つまり従業員からすると、社長が怖い。本当は文化を変えるという前向きな発言をしたつもりなのに、「俺の思っている文化の考え方と違う」と叱責されると、何も言えなくなってしまう。

髙木｜終身雇用の世界の話ですね。

G｜はい。危機感の対象が本当は競合他社だったはずなのに、いつのまにか社長になってしまっている。

▶終身雇用の文化と成果主義の文化

A｜以前いた会社で感じた文化について、ちょっと具体例でお話しします。あるプロジェクトがあって、そこでいう業績というのは、プロジェクトをスケジュール内に終わらせるということでした。その中に製品を製作する前工程と、カスタマーサポートなどの後工程がありました。私は後工程にいたのですが、開発がズルズル遅れるわけです。ただし全体のスケジュールは会社全体で守らないといけません。そうすると、後工程で何とかリカバーしろと、スケジュール管理部門に言われるわけです。これがずっと続いている。文化といってもいいと思います。

後工程をいくら突ついても、前行程を変えなければ問題は解決しません。「後工程でなんとかすればいい」という文化を先に変えないと、いつまでたっても問題は解決しないし、業績は安定しないのではないか。そう考えるとやっぱり文化を先に変更することが大事だと思います。

B｜それって、前工程の人に「ここまでに終わらせる」という期限を決めればいいのではないですか?

A｜そうなんですけれども、そのスケジュール管理部門も、当然前工程が遅れているのはわかっているし、今さら大逆転みたいなリカバリーができないことはわかっているわけです。ただ、スケジュールは至上命令で絶対遅らせてはいけない。プロジェクトが壊れるぞっていうふうになっているから、ある意味スケープゴートを見つけて突ついているんですよね。
B｜でもそのフェーズごとに、期限を決めれば……。
一同｜（笑）
A｜おっしゃる通りなんですけれども、まさにこれがBさんが働いている外資系との文化の違いなんです。Bさんがおっしゃっているようなことをなんとかやれないかと考えたときに、自分はやれないなぁと思ったんですよ。経営層のミドルに話しても、聞いてくれるような人たちでもないし、かといってトップに直談判するルートもありませんし。
高木｜もう後工程しか詰められるところが残っていないから、何とかしろ、となるんですよね。時計の針は進んでしまったわけですから、前工程には作用できませんから。

C｜Aさんの置かれていた状況、すごくよくわかります。M＆Aの形で私のいた会社が合併したときに、製造系の会社の文化と営業系の会社の文化がぶつかることになりました。そうなると行動様式まで全部違ってしまう。もう議論すらできないんです。それで業績がおかしくなっていきました。親会社からは「合併したのに、何やってんだ」と言われて。
D｜ある銀行系のシステム会社なのですが、基本的には自社のシステムをつくっているので、銀行と同じ超官僚的な組織になっているんです。軍隊に近いような形で、新入社員も醸成されていく。変わるとは思えない硬直的な文化なのですが、一度だけ変化が起こったことがありました。大きな失敗があって、裁判を起こされそうという瀬戸際になったときに、コンサル会社が入り、官僚的な組織から権限委譲が可能な形をつくったんです。
高木｜終身雇用の世界において、コンサルティング会社を使って文化にメスを入れるということがままありますね。頻度は知らないけど、私が知っているコンサル会社はよくこれをやります。結構なお金をもらって（笑）。
E｜外資系サイドから話をしますと、例えばあるライン以上のマネジャーに求められるのは、どう自分のバリューを出すか、です。つまり今までと異なることをやろうとするのがノーマルなんです。コンサルにしても、「自分のバリューを補強する、補完するもの」として使う。自分一人でやっていたら、時間が足りないからです。外資系から日本の会社に転職したときに、私も自分のバリューを出そうとしたのですが、「それはうちには合わない」などやらない理由がいっぱい出るんです。

高木｜日本企業、終身雇用側では。

E｜はい。成果主義の文化と終身雇用の文化には、やはり大きな違いがあります。

F｜自分の経験からなのですが、業務プロセスの観点でいえば、日本とアメリカではやはり全然違うんです。アメリカでは、業務プロセスと文化を完全に切り離しています。一方で日本の場合は、業務プロセスの中に文化がかなり入り込んでいるなぁというイメージがあります。

ですからアメリカの場合は、どんな人でも同じ作業ができるように業務プロセスがつくられているのですが、それを日本に持ってきてローカライズするときに、結構削ぎ落としてしまうことがあるのです。日本はそんなこと書かなくてもできるからといって。

その結果、その業務を改善しようと思ったときに、文化のほうからアプローチしないと業務プロセスも変わらないし、それにつながる業績もあがらないということになってしまう。そういった意味で、文化のほうから手をつけることになるのではないでしょうか。

高木｜どんな人でも使えるように業務プロセスをつくらないと、ダイバーシティというか、人がどんどん動く成果主義の世界では難しいということだね。日本はそうなっていない。

▶4人のCEOの改革が成功したのはなぜか

高木｜4人のCEO のいる世界は、アメリカ、つまり成果主義の世界です。彼らはビジネスモデルをしっかり持っていて、儲かる仕組みに変えていくわけです。そうすると結果的に文化も変わってくる。あくまでも結果論です。では、終身雇用の世界だったら、トップはビジネスモデルについてどう考えているんだろう。はっきりしたビジネスモデルを持っていなくても、下から上がってきて社長になりますからね。

実際にこの4人のトップにヒアリングしたわけではありませんが、彼らは新しいポジションを提示されて引き受けるときに、就任したら何が待っているのか、情報を全部もらうはずなんですよ。彼らには自分のブレーンもいますから、そういった人たちと相談して「この案件どう思う?」と検討してから受諾している。つまり改革できると判断して、引き受けているわけです。つまり「勝ち目がある」と思ってスタートしているんだよね。これはあくまで私の常識論ですが。

1万人2万人の従業員の人生を左右するような選択は「勝ち目がある」と思っていなければできないと思う。目に見える「レバー」に手をつけて動かしたらいける会社だ、と踏んでいるんですよね。

その手前には、業績を悪くしてしまったCEOがいるわけです。交代で自分が就任するわけでしょ。その CEO は、なぜ手が打てなかったのだろう?　それには何かわけがあるんだろうか?

A｜この4つのケースと、日本の一般的な終身雇用の会社を比較したときに、日本の会社では「人を切れない」という問題が出てくると思います。改革の中で、人をスリム化しなければならないとき、日本人の経営者はそれがなかなかできない。この4つのケースはアメリカの成果主義の会社です。だからこのような改革ができたのではないか。

B｜CEOの交代は、オフェンスとディフェンスが入れ替わるきっかけになると思います。現状のCEOではもう新たな一手が打てない状態にあるときに、新しいトップがやって来る。社員も「新しいトップになったら、何か起きる」という心構えができるはずです。現状のCEOでは、周囲への気兼ねなどでできないことも、新しい人ならできることがある。

C｜前任者にはできなくて、後から来た人のほうがうまくやれるということについてですが、二世経営者のケースの講義の中で、先生は「リーダーシップが発揮されたときには、それまで幸せだった人と、それほど幸せじゃなかった人の分布が変わる」というお話をされました。今までの経営者は、今までのポジションを確立してくれていた人たちに、基本的には支援を受けて囲まれていると思うんですね。改革においてリーダーシップを発揮したときに、それまで自分をサポートしてくれていた人が、もしかするとそんなに幸せじゃないほうに移る可能性もある。そうだとすると、今までの経営者としては、自分をサポートしてくれた人を不幸せな側に送り込む決断はなかなかできない。そんな心理的な問題もあると思います。そういった意味で戦略や選択肢の自由が狭まるのではないでしょうか。

高木｜私の記憶の中に、文化に手をつけるよりも先に業績をあげる努力を開始した日本企業のトップ経営者がいます。私が把握している数は多くはないのですが、日本でも業績から入った会社はいくつかあります。つまり終身雇用の会社でも業績から入って改革をするという場合があるということです。ただ、私が記憶している会社はみな、社長が外から入って来ているんです。生え抜きの社長が文化より先に業績というレバーを引くのは、終身雇用の会社だとやはりすごく難しいのかな。

E｜終身雇用の日本の会社でも、外からトップを呼んでくれば、先に業績というレバーが引きやすいという話ですが……。

高木｜事例は多くないけどね。

E｜日本では経営者も終身雇用を期待していて、自分の任期中にトラブルを起こすと退職金が減るというような話になってきますから、「自分の任期中はそつなく済ましたい」という動機が強い。そのため内部昇進だと業績からスタートするレバーが引きにくいのかと思います。逆に外から来たトップは、思い切った改革を期待されて呼ばれているわけですから、迷うことなくレバーを引くでしょう。そういう違いではないでしょうか。

高木｜経営層のもっと上のほうのレベルの人でも、やはりその会社の終身雇用というかベネフィットの中にいるということを垣間見る機会は確かに結構ありましたね。

みなさんがゆくゆく、一国一城の主人、社長になって、企業経営をされる場面になったときには、業績を左右するレバーをたくさん持つようになります。その業績を左右するレバーの一つに、文化もきっと入っているでしょう。幸か不幸か文化は原因にもなるし、結果にもなる。一方、業務プロセスは基本的には原因側にしか入りません。その時には、変革において文化が先か、業績が先かという今日の議論を思い出してもらえれば嬉しいです。

Epilogue
おわりに

栗本博行
名古屋商科大学 理事長

正解のない問いに向き合うMBA教育

MBAの教室ではよく極端な質問が投げかけられる。たとえば、「あなたがケースの主人公なら、部下から打ち明けられた15年前の不正取引を公表しますか? それともそのまま黙殺しますか?」といった問いである。無論、そこに絶対的な正解「The Answer」はない。

そもそもビジネスにおける正解とは何かを考えれば想像がつくと思うが、誰しも自分の行動を「正しい」と信じて決断しつつも、後日になって別の選択肢に心が揺らぐことなど日常茶飯事である。決断力や判断力というものは、絶対的な正解や正義を前提にしてしまいがちだが、微妙に状況が異なれば結論は変わるものである。そう考えると、MBA教育が目指すべきは、「正解」そのものや「正解」を探す能力を高める場ではなく、失敗を恐れない、もしくは失敗から学ぶ「姿勢」を身につける場と言い換えてもいいだろう。

本書籍シリーズはアジアにおけるマネジメント領域の教育研究の拠点として名商大ビジネススクールが取り組む「私立大学研究ブランディング事業」の成果報告として執筆するものである。今回はその第一弾として、ヒト（リーダーシップ）、モノ（経営戦略とマーケティング）、カネ（行動経済学）、およびチエ（ビジネスモデル）の4つの視点での構成とした（編集部注：後の二者は近刊予定）。

いずれもMBAの必須科目であると同時にマネジメント教育の先端領域でもある。類似の書籍も存在するが、それらの多くは経営コンセプトの「解説書」であり、いわゆる座学の域を出ていない。本書籍シリーズが目指しているのは、MBA候補生がケースメソッドと呼ばれるダイナミックな学修を通じて次世代のリーダーとして成長する姿を追体験する点にある。まずはご協力いただいた教授陣のみならず参加者の方々や事務局スタッフの方々にもこの場を持って厚く御礼申し上げたい。

前述のように、MBA教育とは、経営学に関する専門知識や能力獲得の場ではなく、リーダーの内面に宿る姿勢そのものを育む場であるべきだ。最新のケースや流行の理論を追いかけることを慎みつつ、高等教育機関がそして研究者が教室内でいかに「理論」と「実践」のバランスを保つべきか? 本学はその問いに向き合う中で「ケースメソッド」と出会った。

質の高いマネジメント教育を追求するうえで「参加者中心型」の討議を行うケースメソッド以外の教育手法を否定する意図はないが、教科書片手に教員の自説が朗々と解説される教室で優れたリーダーが育つ状況を想像し難いのは私だけではないだろう。事実、100年以上の長きにわたり世界中のリーダー教育で愛され続けてきたこの教授法を追求する過程で、数多くの素晴らしい研究者と出会い有意義な出来事を経験した。本書はこうした取組の一端を少しでも多くの方々に触れていただける機会を提供するものである。

誤解だらけのMBA教育

MBA教育とはリーダー教育であり、いかに優れたリーダーを育成するかが世界中のビジネススクールに与えられた永遠の課題である。一方で、MBAの入試面接の場で「経営の知識」を求めてMBAの扉を叩く志願者に幾度となく遭遇する。もし経営の知識を手に入れたいのであれば、MBAという2年間の学修期間よりもはるかに短期間で確実かつ安価に達成可能な別の方法をお薦めしたい。私たちが理想とするMBA教育とは、不確実かつ限られた情報で苦渋の決断を下す経営者の意思決定を追体験しながら、リーダーとしての姿勢を高める場所である。

その前提での話題となるが、「ビジネススクール=MBA教育」という単純な話ではない、という点をまず明確にしておきたい。多くの方々がMBAと聞くと、名だたるリーダーを育成してきたHarvard Business School（以下、HBS）を想起するだろう。しかしながら、HBSは大学院課程と非学位課程の社会人教育に焦点を当てており、それはビジネススクールとしてのひとつの形態である。ビジネススクールとはマネジメント教育に関する学士課程、修士課程、博士課程、および非学位課程を提供する高等教育機関であり、… School of Business、もしくは、… School of Managementとして活動する形態が一般的である。たとえば、HBSから徒歩圏に位置するMIT Sloan School of Managementなど多くの名門ビジネススクールは学士課程から博士課程まで幅広い参加者を対象としたマネジメント教育を提供している。

表1｜**ビジネススクールが提供する学位の基本類型**

	学士課程	修士課程	博士課程
研究志向	BSc	MSc	PhD
実践志向	BBA	MBA	DBA

学位の視点で整理すると、世界のビジネススクールでは経営学に関する学士号（BSc/BBA）、修士号（MSc/MBA）、および博士号（PhD/DBA）を授与しているのが通例である。そして少し乱暴ではあるが、それらの教育課程は「研究志向（BSc/MSc/PhD）」と「実践志向（BBA/MBA/DBA）」に区分可能で、前者は学術色の濃い研究者養成型であり、対する後者は実践色の濃い実務家養成型である。さらに、育成する人材像に応じて参加要件としての実務経験を設定する場合が多く、10年程度[i]の実務経験を必要とするExecutive MBA、5年以上の実務経験を必要とするDBA[ii]、3年以上の実務経験を必要とするMBA[iii]、そして実務経験を必要としないPhD、MSc[iv]、BBA、およびBScとに区分される。

領域の視点で整理すると、MBAは実践的なマネジメント教育を網羅的に提供する場であるのに対して、MScは特定領域における専門教育を体系的に提供する場と定義できる。したがって、MBAは組織全体を俯瞰した意思決定を行う人材の養成を目的としているのに対して、MScは企業の特定領域（例えば財務、会計、金融、生産、流通、税務、販売、および経営分析など）における高度な専門知識を有する人材の養成を目的としており、学位名称も領域名を付与して表記（例、MSc in Finance）するのが通例である。

最後に、期間の視点で整理すると、大学院は2年間（欧州では1年から1.5年）の学修期間を要する学位課程と、数日間から数ヶ月間といった短期間で完結する非学位課程とに分類可能である。後者は多忙な管理職を対象に特定領域の話題に焦点を当てた授業が集中講義形式で行われることが多く「Executive Education」として提供されている。非学位課程とはいえ学位課程の担当教員が教鞭をとる場合や、ビジネススクールが正式に提供する教育課程である事を示すために、履修証明書（Certificate）が付与される場合が多い。ちなみに、あまり知られていない事実だが、MBAランキング上位校ほど、非学位課程によるリーダー教育が財政面における大黒柱となっている傾向にある。

以上の議論を踏まえると、いったい何を基準にMBAという「学位」に相当する教育課程とみなせるのか、その境界線は実際のところ不明瞭であり誤解も多い。国内ビジネススクールでこうした点を正確に理解して教育課程を展開している大学は、残念ながら少数派と言わざるを得ない。経営系のコンテンツを扱っていれば、とりあえず「MBA」と称する怪しげな基準に基づいたMBAが巷に溢れかえっているのが実情であり、国際的な基準で学位の品質を評価し認証する仕組みの重要性は高まっている。

i　Executive MBAの参加要件については明確な基準は存在しないが、MBA（実務経験3年以上）と区分するために実務経験10年程度に設定されることが一般的である。

ii　国際認証機関Association of MBAs（AMBA）が定めるDBA criteria for accreditation 5.3に基づく。

iii　DBA同様にAMBAが定めるMBA criteria for accreditation 5.3に基づく。

iv　マネジメント領域を体系的に扱う場合の学位はMaster of Science in ManagementとなりMScM/MIM/MSMと略されることが多い。

名商大ビジネススクールの教育

次に名商大ビジネススクールの母体となる名古屋商科大学の生い立ちを簡単に紹介する。

創立者の栗本祐一氏はアルバータ大学で教育を受けて「Frontier Spirit」を胸に帰国後、1935年に名古屋鉄道学校を創立。鉄道事業という当時の国家的インフラ事業に貢献する人材育成の一翼を担った。しかし戦争で全てを失い、食べる物も、着る物も、住む場所も失った焼け野原を見て、商業で日本経済を支える人材を育成することを決心。関東の東京商科大学（一橋大学）、関西の神戸商業大学（神戸大学）に対応して「商科大学」不在の中部地区に、名古屋商科大学を設立（1953年）した。その後、名古屋商科大学は社会人教育を確立するための第一歩として大学院を設立（1990年）して、伝統的な欧米ビジネススクールとの提携交流を通じながらリーダー教育の理想型を模索し続けてきた。

そして、本学の教育の方向性を決定づけた出来事はカナダに拠点を持つIVEY Business School（以下、「IVEY」）との出会いと国際認証への挑戦であった。IVEYはカナダのオンタリオ州西部のロンドン（人口30万人）に位置する教員100名規模の国際認証校であり、世界的にも高い評価を有する高等教育機関である。本学が教育課程の開発においてIVEYに注目したのは、大学院教育のみならず学部教育においてもケースメソッドでマネジメント教育を展開して、さらには先進的な社会人教育を香港でも展開していたためである。ちなみに、私がIVEYの香港校を訪問して最も印象的だったのは、一年次の教室サイズよりも二回り小さな二年次用の教室であった。なぜ教室サイズが異なるのか?という私の問いかけに対して「全員が二年次に進級できるほど甘くはない」と微笑んだ責任者の顔は今でも鮮明に記憶している。

名商大ビジネススクール小史

1990	大学院修士課程として設置認可
2000	社会人を対象とした教育課程の拡充開始
2002	ケースメソッドを全面採用
2003	Executive MBA開設
2005	英語MBA開設
2006	AACSB国際認証取得
2009	AMBA国際認証取得
2015	ケースメソッド専用タワーキャンパス完成
2018	ケースメソッド研究所設立
2018	オンラインでの遠隔ディスカッション授業開始
2019	日本ケースセンター運営開始

学部でも活用されるケースメソッド教育

MBA教育に参加するためには実務経験を有することが望ましいが、ケースメソッド教育に参加するために実務経験が必要という意味ではない。事実、前述のIVEYのみならず学部教育においてケースメソッドを採用しているビジネススクールは世界に数多く存在している。特に学部版MBAともいえるBBA（Bachelor of Business Administration）は米国、カナダ、フランス、香港では人気の教育課程として知られ、ケースメソッドで授業が提供される場面が多い。

名古屋商科大学は長年のMBA教育で培った教育手法を学部教育に展開すべく、国内で初の試みとしてBBA（日本語）とGlobal BBA（英語）を提供している。教養科目から専門科目まであらゆる授業にケースメソッドを適用するにはいくつかの工夫が必要となるが、原理原則はMBAと同一である。80名の学部生が授業前にケースを「予習」して、教員の問いかけに対して一斉に「挙手」して発言する姿は鳥肌ものである。思わず学生時代を振り返って、果たして当時の自分にあれが出来ただろうか?と自問自答してしまう。

こうした本学の実践例を別にすると、国内でケースメソッドを採用しているのは一部の経営大学院と企業内研修においてのみである。今後は学部教育課程や高等学校教育課程においてもアクティブラーニングと呼ばれる参加者中心型の「学修手法」を実現する「教育手法」として浸透することが期待される。この領域は無理、この人数は無理、実務経験がないと無理……などといった形で、教員がケースメソッドに拒否反応を示す数多くのパターンを見てきたが、それは決められた流れで授業を「安全運転」したがる教員側の反射的な反応である。しかしながら、学問領域がその教育手法や研究手法を決定する事はない。

ビジネススクールに対する批判

マギル大学(McGill University)の経営学者ミンツバーグ教授(Henry Mintzberg)が『Managers not MBAs(邦訳:MBAが会社を滅ぼす)』においてマネジメントとは本来、クラフト(経験)、アート(直感)、サイエンス(分析)の3つを適度にブレンドすべきであると主張し[v]、サイエンスに偏りすぎたマネジメント教育に対する警鐘を鳴らしたことは知られている。サイエンス偏重の教育でまともな管理職育成ができるのか?という主張である。また、ミンツバーグの批判と表裏一体の存在が「MBAランキング」である。誤解を恐れずに表現するならば、MBAランキングとは「費用対効果ランキング」であり、MBAランキングの代表格であるFTランキングは、調査項目全体に占める卒業生の年収関連項目の比率が40%を超え、教育ROIすなわちValue for moneyか否かという点を重視している。当然ながら授業料を早期に回収可能な「ホット」な業界に修了生を送り続けるインセンティブがビジネススクールに対して働き、MBA教育はコンサルタントと投資銀行家を育てる「花嫁学校」とまで揶揄されたことがある。

同時に彼はケースメソッドに関しても『ストーリーとしてのケース、経験の記憶としてのケースは役立つ場合もあるが、そのためには歴史的経緯を含めて、複雑な現実を尊重することが条件になる。ケースメソッドは実体験を補足するものであって、実体験の代用品になるものではない』と注文をつけている。リアルなシミュレータ訓練だけでライバルに勝てるほど現実社会のレースは甘くない。スポーツでの敗北はビジネスでは倒産を意味する。多くの経営者が、判断力、決断力、行動力よりも「このままでは倒産するかもしれない」という恐怖を感じる感性こそが「経営力の源泉」と振り返ることが多いが、果たしてケースメソッドでそこまでの没入感を持った授業を展開できているだろうか?今一度、教員も自問自答する必要がある。

訓練（教室）で実践（実務）さながらの恐怖感を体験することはできない、同様に実践で訓練ほど安全に失敗することはできない。訓練と実践との往復で高められた感性こそが重要であり、どちらかひとつに偏ることは望ましくない。しかしながら、米国ではMBA課程の入学者に対して実務経験を求めることは少なく、学部卒業直後に入学することも可能である。またそのMBA課程も平日昼間に授業を行うフルタイム型が主流であり、訓練しながら実践する機会は限られている。したがって、実務経験を持たないMBA取得者が管理職候補として採用/厚遇される例は珍しくない。こうした現実をミンツバーグ教授が疑問視した3年後に、MBAが「世界」を滅ぼしかねない状況が生じた。

v Mintzberg, H. (2005). Managers Not MBAs: A Hard Look at the Soft Practice of Managing and Management Development. Berrett-Koehler Publishers.

国際認証の視点

名商大ビジネススクールが国際認証の取得を通じて得た視点とは、スクールミッションを実現させるための「動力源」をいかに内部化させるか?である。すなわち「科目」ごとにミッションとの関わりでの存在理由を与え、属人的になりやすい教育内容/手法にまで踏み込んだ改善を継続的かつ組織的に実施する仕組みづくりである。ビジネススクールを世界規模で認証する組織としてAACSB、AMBA、EQUISが3大国際認証機関と呼ばれ、これら国際認証の取得には教育課程、学修達成度、および研究実績などに関して定められた国際基準を満たすことが求められる。国や地域が異なれば学校教育制度も異なるため「MBA教育とは何か?」もしくは「高等教育機関におけるマネジメント教育とは何か?」という本質的な問いに対する国際基準としての役割を尊重して、世界のビジネススクールの約5%がこの国際認証に取り組んでいる。

当然ながら国際認証機関ごとに重視領域は異なるのだが、3つの国際認証に共通しているのは、ミッション主導型の国際的な教育研究が求められる点である。ビジネススクールは人材育成目標から学習到達目標(Learning Goals、以下「LG」)を導出して、LGを達成させるためのコンテンツを教育課程として構築しなければならない。そして教育成果としての参加者のLG到達度を教員が直接測定しながら、その改善に向けて教育課程を再検討していくプロセスがAoL(Assurance of Learning)と呼ばれている。まさにミッションを実現させるために教育課程が存在するという大前提を教員自らが理解して、その実現に向けて組織的に行動することが求められるのである。

米国を拠点とするAACSBは大学のミッションを重視する機関として知られている。LGはミッションから「導出可能」かつ「測定可能」な要素であることが求められる。さらに、LGは特定の学問領域に対する理解度

／知識量ではなく、学位課程の履修を通じて育成されるべき測定可能な行動特性（コンピテンシー）とするのが共通理解である。AACSBは「機関認証」を行うため、マネジメント教育を提供する学部教育と大学院教育が一体で認証を取得する必要がある。それは、ビジネススクール教育に関する長年の歴史を有する欧米社会では、前述の通り学部と大学院は不可分の存在と考えられているためである。しかしながら、日本国内ではビジネススクール教育が2000年以降の専門職大学院制度をきっかけとして広まった経緯から、ビジネススクール＝経営大学院として解釈されることが多い。間違いとはいえないが、海外からの訪問者には理解されにくいだろう。

一方で英国を拠点とするAMBA（Association of MBAs）の場合は、MBA教育に特化した「課程認証」を実施して、教育課程の細部にわたり審査を行うのが特徴である。MBA教育とはいかにあるべきか、という点に強いこだわりを持ち、実務経験年数や年間入学者数に関しても厳格な条件を設定していることで知られている。AMBAの最大の特徴は、MBA教育を通じて育成されるべき13の行動特性が明確に規定されており、それらが全参加者に対する必須科目群（コアカリキュラム）でなければならない点である。MBAの三文字を冠した学位を提供する教育課程は自動的に認証審査の対象となり、5年ごとに実施される実地審査においては、どの科目がAMBAの規定する13領域に対応しているのか、使用したケースまで精査されることになる。加えて、国際的に活動する企業や教育機関との交流ネットワークがどの程度機能しているかを重視するのもAMBAの特徴である。

そして欧州を拠点とするEFMDが提供するEQUIS認証は、ビジネススクールの教育、研究、および運営における国際性について重点的に審査する傾向にある。あらゆる側面において国際化が求められるため、英語での学位課程（MBA/MSc）を提供している事が実質的に不可欠とも考えられている。その中でも国内ビジネススクールにとって最も難易度の高い課題は「研究成果の国際性」であろう。単に論文が英語で書かれていれば良いのではなく、引用頻度の高い（他の研究に影響を与える可能性の高い）査読誌への掲載が競争領域である。EQUISは教員に対して国際的な「研究者」であることを求めるのである。当然ながらこの認証基準に対応可能な教員は限られているため、国内外から優秀な研究者を採用することが求められる。さらにEQUISは、企業倫理、ガバナンス、および持続可能な経営といったリーマンショックに対応したテーマを重点要域としていることでも知られている。

このように、どの国際認証機関も審査領域を差別化しているため、各ビジネススクールはミッションと親和性の高い認証を選択したうえで、改善していくべき戦略項目に数値目標を設定して、教員組織がその目標に向かっていくことが求められている。

倫理を教え始めたビジネススクール

最後に、これら3つの国際認証機関とコアカリキュラムとの関連で注目すべきは「企業倫理」に対するアプローチである。リーマンショックの後に、ビジネススクールはこの金融危機に対して「有罪」なのか、それとも「無罪」なのかという責任論が、AACSBをはじめとする認証機関の国際会議で幾度となく議論された。事実、金融危機の舞台となったウォール街の住人を育成していたのは他ならぬビジネススクールであった。高額なビジネススクールの授業料を卒業後に回収すべく、卒業生は高収入が期待できる金融街に職を求め、またビジネススクールもその金融街のニーズを教育課程に反映させて、ファイナンス教育に力を入れていたのである。

ビジネススクールが有罪とは少々乱暴な表現ではあるが、「会社というのは金儲けを行うための道具だ」という企業用具説なる立場が存在する。ミンツバーグの指摘が予言したように、MBA教育が提供した経済合理性を追求するサイエンスを極限まで駆使した結果、リーマンショックを引き起こしたという考え方である。ビジネススクールはこれを教訓にできないのか?高等教育機関として無力なのか?という議論に対してAACSB、AMBA、EFMDがともに到達した答えが「ビジネス倫理」である。

倫理を教室で「教える」ことは到底不可能であろう、そもそも倫理とは業界、地域、宗教、時代、など多くの要因によって影響を受ける領域であり、そこに「The Answer」などない。と同時に、倫理と接点を持たない学問領域など存在しないのも事実である。例えば、話題のBig DataやAIであれば、経営者としていかに情報資産と向き合うか(大学生の就職活動データを販売対象とするか否か)など、倫理面からのアプローチは教員の腕の見せ所である。倫理的な問いかけを特定の科目や特定の教員に押しつけるのではなく、体系的に構築された教育課程全体でいかに向き合うかが今のビジネススクールに求められている。

今後のコアカリキュラムの動向

コアカリキュラムとは必修科目群であり、ビジネススクールとしての共通した到達目標である。したがって、コアカリキュラムは学問領域ではなく、ミッションを追求するうえで育成すべき行動特性から定義されるべきである。そして理想形としての行動特性は時代とともに変化することを意識しておかなければならない。近年の動向としては、卒業後の進路が従来の金融街から新興IT企業へと変化している点を意識して、起業家育成、デザイン思考、デジタル変革、女性リーダーなどに対応したコアカリキュラムの開発が求められている。

コアカリキュラムに関連して、その開講形式、教授法、および参加者にも変化がみられる。まず、開講形式については一時的にせよ離職することが必要なフルタイム型から、働きながら学び直すことが可能なパートタイム型に移行している。次に、教授法についても伝統的な教室内での対面式授業から、最新技術を活用したオンラインの要素を組み合わせることが不可避になっている。最後に、MBA参加者の多様性が飛躍的に高まっている点など、ビジネススクールを取り巻く環境は確実に変化している。

時代が変われば、育成すべき人材像も変わり、ミッションも変わり、コアカリキュラムも変わり、教員の意識や教授法も変化しなければならない、という当たり前の基本姿勢が国内ビジネススクール運営に携わる者にとって共有されることを願っている。

最後に

ビジネススクールがリーダー教育を行ううえで、避けて通れないのがケースメソッドの実践である。ケースメソッドのみがリーダー教育と主張することは慎むが（若干内心そう思っている）、この手法を教育文化として組織的に実践するためには、資源ベースの観点でハード・ソフト・コンテンツの3要素が鍵となる。ハードとは教育装置としての教室や黒板、ソフトとは教員および参加者、そしてコンテンツとは教材としてのケースであり、これら必要条件としての3要素を教育目的の下で有機的に機能させる「チカラ」が働かなければ定着は困難である。名商大が約30年間の経営大学院としての歩みの中でケースメソッドと出会い、教育文化として定着させる一環で教育学（Pedagogy）のチカラを借り、教員構成の1領域として内包できるのは、高等教育機関として極めて名誉なことである。

繰り返しになるが、MBA教育とはリーダー育成の場である。会社や社会を幸せにしたいと本気で願う者が集い、討議し、内省し、信念を形成する場。制約が強い状況でいかにリーダーとして選択し行動すべきかについて考える精神修行の場でありたい。私たちが追い求めるマネジメント教育とは社会を豊かにするリーダーを育成するための学問、決してその理論や知識を自慢げに振りかざすための「道具」ではない。

最後にもう一言だけ、MBAを目指す友人たちに。今こそ「自分と向き合え」。それはリーダーの宿命、あなた方の運命だ。

名古屋商科大学 理事長
栗本 博行

NUCB BUSINESS SCHOOL ｜ケースメソッド MBA 実況中継 02

リーダーシップ

Organizational Behavior & Leadership

発行日　2020年3月20日　第1刷

Author
高木晴夫
第1章執筆
竹内伸一（名古屋商科大学ビジネススクール教授）
おわりに執筆
栗本博行（名古屋商科大学理事長）

Book Designer
加藤賢策　守谷めぐみ（LABORATORIES）

Publication
株式会社ディスカヴァー・トゥエンティワン
〒102-0093　東京都千代田区平河町2-16-1
平河町森タワー11F
TEL　03-3237-8321（代表）
03-3237-8345（営業）
FAX　03-3237-8323
http://www.d21.co.jp

Publisher
谷口奈緒美

Editor
千葉正幸（編集協力｜黒坂真由子）　藤田浩芳

Publishing Company
蛯原昇 梅本翔太　古矢薫　青木翔平　岩﨑麻衣
大竹朝子　小木曽礼丈　小田孝文　小山怜那
川島理　木下智尋　越野志絵良　佐竹祐哉
佐藤淳基　佐藤昌幸　直林実咲　橋本莉奈
原典宏　廣内悠理　三角真穂　宮田有利子
渡辺基志　井澤徳子　俵敬子　藤井かおり
藤井多穂子　町田加奈子

Digital Commerce Company
谷口奈緒美　飯田智樹　安永智洋　大山聡子
岡本典子　早水真吾　磯部隆　伊東佑真
倉田華　榊原僚　佐々木玲奈　佐藤サラ圭
庄司知世　杉田彰子　高橋雛乃　辰巳佳衣
谷中卓　中島俊平　西川なつか　野﨑竜海
野中保奈美　林拓馬　林秀樹　牧野類　松石悠
三谷祐一　三輪真也　安永姫菜　中澤泰宏
王廳　倉次みのり　滝口景太郎

Business Solution Company
蛯原昇　志摩晃司　野村美紀　南健一

Business Platform Group
大星多聞　小関勝則　堀部直人　小田木もも
斎藤悠人　山中麻吏　福田章平　伊藤香
葛目美枝子　鈴木洋子

Company Design Group
松原史与志　井筒浩　井上竜之介
岡村浩明　奥田千晶　田中亜紀　福永友紀
山田諭志　池田望　石光まゆ子　石橋佐知子
川本寛子　丸山香織　宮崎陽子

Proofreader
文字工房燦光

DTP
ISSHIKI

ISBN978-4-7993-2584-1